ハヤカワ文庫 NF
〈NF584〉

ハウ・トゥー
Q 1　成層圏までジャンプするには

ランドール・マンロー
吉田三知世訳

JN110048

早川書房
8766

日本語版翻訳権独占
早　川　書　房

©2022 Hayakawa Publishing, Inc.

HOW TO

Absurd Scientific Advice for Common Real-World Problems

by

Randall Munroe

Copyright © 2019 by
xkcd inc.

Translated by
Michiyo Yoshida
Published 2022 in Japan by
HAYAKAWA PUBLISHING, INC.
This book is published in Japan by
arrangement with
XKCD INC.
c/o THE GERNERT COMPANY
through TUTTLE-MORI AGENCY, INC., TOKYO.

本文イラスト：© Randall Munroe

目　次

Q2目　次

＊本文訳注は（）内に小さな文字で示した

ハウ・トゥー

Ｑ１　成層圏までジャンプするには

おことわり

この本に書かれたいかなることも、ご家庭で試さないでください。本書の著者はインターネット漫画家であり、健康や安全の専門家ではありません。彼は物に火がついたり爆発したりするのが楽しいのであり、あなたのためなど思っていません。本書の出版社と著者は、本書に含まれる情報から直接または間接的に生じた、いかなる有害な影響に対しても責任を負いません。

こんにちは！

これは、うまくないアイデアを集めた本です。
少なくとも大半は、うまくないアイデアだ。うっかり、いいアイデアもちょっと書いてしまったかもしれない。もしそうだったら、ごめんなさい。
ばかげているとしか思えないアイデアが、革命的だったとわかることがある。感染した切り傷にカビを塗るなんて、とんでもない！　ついそう思うけれど、ペニシリンが発見され、それが奇跡的な治療法になることがわかった。一方、世界は、あなたが傷口に塗りたくなるかもしれない、最悪の物であふれており、その大半は、少しも傷を治さない。ばかげたアイデアがすべていいわけではない。では、いいアイデアとそうでないものを、どうやって区別しよう？
試してみて、どうなるか確かめることもできる。だが、試さなくても、数学や調査、そして自分がすでに知っていることを使って、もしもやってみたならどうなるか、突き止められる場合もある。
NASAが、自動車ぐらいの大きさのキュリオシティという探査機を火星に送ろうとしていたとき、火星の表面に静かに着陸させる方法を見極めなければならなかった。以前の探査機はパラシュートとエアーバッグを使って着陸したので、NASAの技術者たちはキュリオシティもこれでいこうと考えたが、火星の空気は薄いので、そこをパラシュートで減速していくには、キュリオシティは大きすぎるし、重すぎた。キュリオシティにロケットを何個か取りつけて、空中に浮かべるようにし、ゆっくり静かに着陸させることも検討した。しかし、ロケットの排気が塵を巻き上げると、火星の表面がよく見えなくなるので、安全な着陸が難しくなってしまう。

結局、彼らは「スカイクレーン」というものを思いつく。スカイクレーンは、数基の小型ロケットを逆噴射させて上空高くホバリングしながら、長いテザーを使ってキュリオシティを火星の地面におろすビークルだ。「何をばかなことを！」と思えるが、彼らが思いついたそれ以外の案は、もっとまずかった。スカイクレーン案について検討すればするほど、ますますうまく行きそうに思えてきたので、この案が採用され、うまく行ったのである。

私たちはみな、ものごとのやり方《ハウ・トゥー》を何ひとつ知らない状態で人生をスタートさせる。運が良ければ、何かしなければならないとき、やり方を教えてくれる人が見つかる。しかし、どうやればいいか自分で考え出さねばならない、つまり、いろいろなアイデアを考え出し、それがいいかどうか自分で判断しなければならないこともある。

この本では、ありふれたものごとに対処する変わった方法を探り、そんな方法を実際にやってみたらどうなるかを見ていく。そうした方法がなぜうまく行くのか、あるいは、うまく行かないのかを突き止めるのは楽しく、ためになるだろうし、ときには驚くような展開が待っているだろう。ある方法がうまくないとき、なぜその方法がうまくないのかをきっちり突き止めることで、あなたは多くを学ぶことができる――そうすることで、もっといい方法を思いつくヒントが見つかることもある。

そして、あなたがここに載っているすべてのことを行なう正しい方法をすでに知っていたとしても、知らない人の目を通して改めてそれを見てみることは、きっと役に立つ。なにしろ、アメリカだけでも毎日１万人以上の人々が、大人なら「誰でも知っていて当然」と思われることがらを、初めて学んでいるのだから。

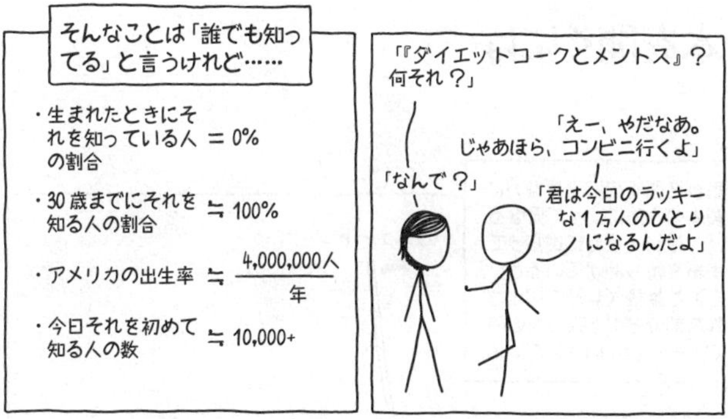
そんなことは「誰でも知ってる」と言うけれど……
・生まれたときにそれを知っている人の割合 ＝ 0%
・30歳までにそれを知る人の割合 ≒ 100%
・アメリカの出生率 ≒ 4,000,000人/年
・今日それを初めて知る人の数 ≒ 10,000+
「『ダイエットコークとメントス』？何それ？」
「えー、やだなあ。じゃあほら、コンビニ行くよ」
「なんで？」
「君は今日のラッキーな1万人のひとりになるんだよ」

（訳注：ダイエットコークにメントスを入れると、爆発したようにコークが噴出する現象が、ネット動画の世界でちょっとした流行になっていた）

何かを知らないとか、何かのやり方を学んだことがないと認めている人たちを笑いものにするのが、私は嫌いなのもこのためだ。なぜなら、そんなことをしたらその人たちは、じつは今、何かを学んでいる最中なのに、それを隠すようになって……こちらが楽しいことを逃してしまうだけだからだ。

この本は、ボールの投げ方や、スキーのやり方や、引っ越しの仕方を教えはしないだろう。だが、この本からあなたが何かを学んでくれるようにと私は願っています。学んでもらえたあなたは、今日の幸運な１万人のうちのひとりです！

本を開くには

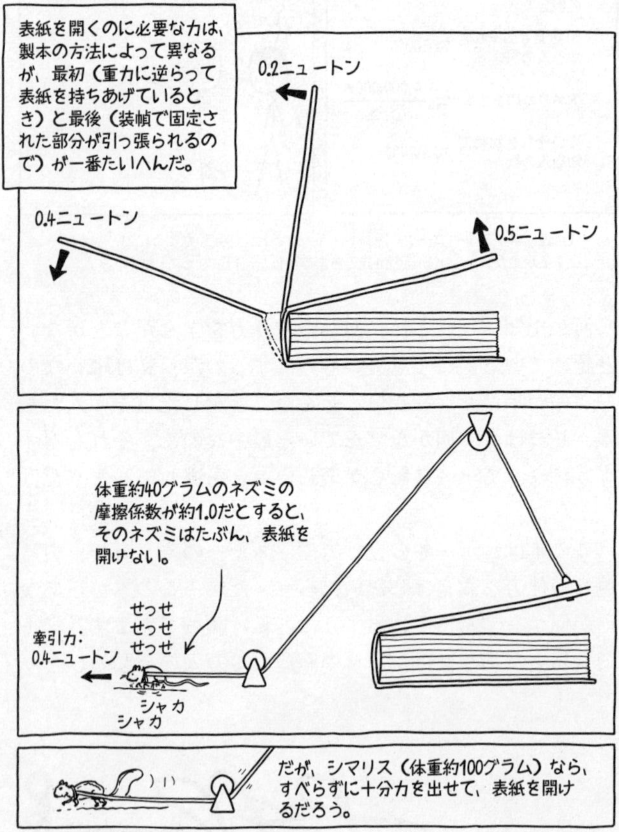
表紙を開くのに必要な力は、製本の方法によって異なるが、最初（重力に逆らって表紙を持ちあげているとき）と最後（装幀で固定された部分が引っ張られるので）が一番たいへんだ。
0.2ニュートン
0.4ニュートン
0.5ニュートン
体重約40グラムのネズミの摩擦係数が約1.0だとすると、そのネズミはたぶん、表紙を開けない。
せっせ
せっせ
せっせ
牽引力：
0.4ニュートン
シャカ
シャカ
だが、シマリス（体重約100グラム）なら、すべらずに十分力を出せて、表紙を開けるだろう。

読むスピードの選び方

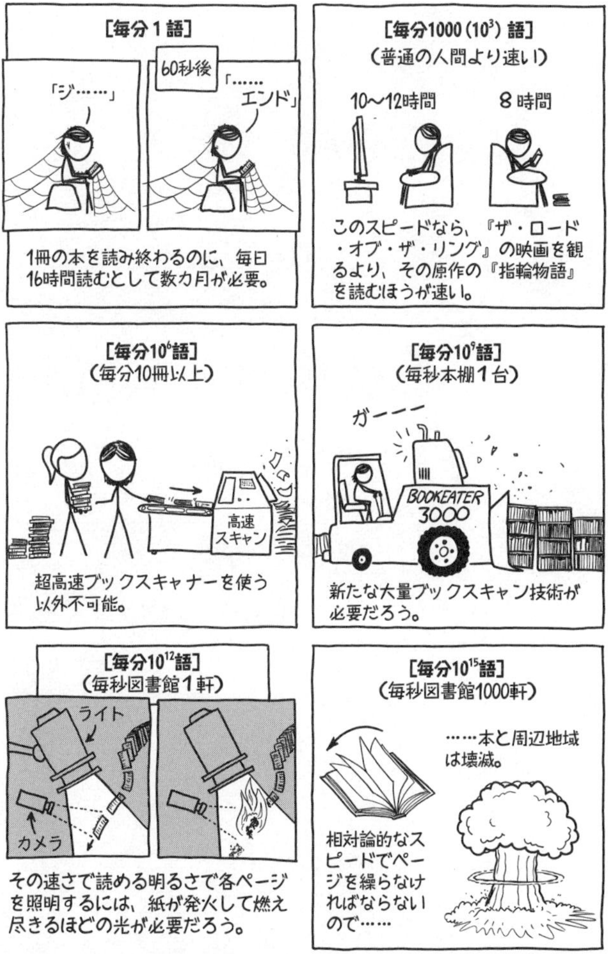
[毎分1語]
60秒後
「ジ……」
「……
エンド」
1冊の本を読み終わるのに、毎日16時間読むとして数カ月が必要。
[毎分1000(10^{3})語]
(普通の人間より速い)
10〜12時間
8時間
このスピードなら、『ザ・ロード・オブ・ザ・リング』の映画を観るより、その原作の『指輪物語』を読むほうが速い。
[毎分10^{6}語]
(毎分10冊以上)
高速スキャン
超高速ブックスキャナーを使う以外不可能。
[毎分10^{9}語]
(毎秒本棚1台)
ガーーー
BOOKEATER 3000
新たな大量ブックスキャン技術が必要だろう。
[毎分10^{12}語]
(毎秒図書館1軒)
ライト
カメラ
その速さで読める明るさで各ページを照明するには、紙が発火して燃え尽きるほどの光が必要だろう。
[毎分10^{15}語]
(毎秒図書館1000軒)
相対論的なスピードでページを繰らなければならないので……
……本と周辺地域は壊滅。

第1章 ものすごく高くジャンプするには

人間はあまり高くジャンプできない。

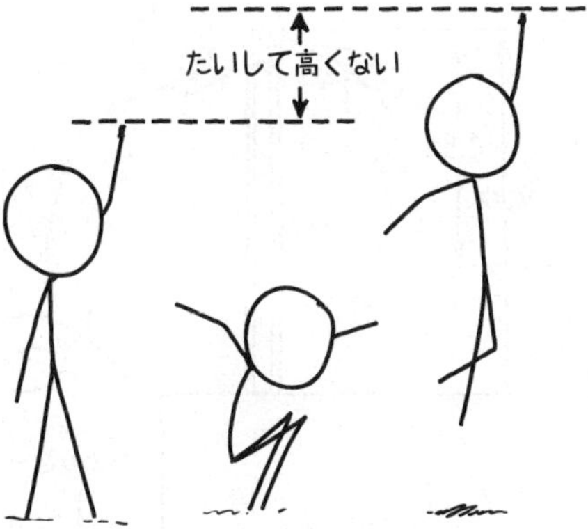

バスケットボールの選手たちは、高いところにあるゴールのリングまで軽々届く見事なジャンプをする。だが、その高さの大部分はじつは彼らの身長でカバーされている。平均的なプロバスケット選手が真上にジャンプできる高さはせいぜい60センチメートルと少しだ。スポーツ選手でない人々のジャンプ力はたかだか30センチかそこらだろう。それより高くジャンプしたければ、何か助けがいる。

助走は足《た》しになる。走り高跳びの選手たちが使っているのがこれで、走り高跳びの世界記録は約2.4メートルだ。しかし、これは地面から測った高さだ。走り高跳びの選手は概して背が高いので、そもそも彼らの重心は地面から少なくとも数十センチは上にあるし、彼らがバーを越えるときに取る姿勢のせいで、彼らの重心が、じつはバーの下を通過していることもある。走り高跳びで2.4メートルジャンプしたとしても、彼らの体の中心は2.4メートルも上昇してはいない。

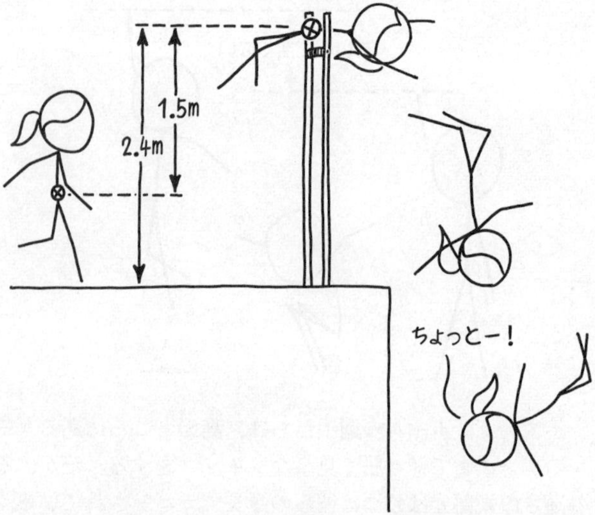

あなたが走り高跳びの選手に勝ちたいなら、ふたつの選択肢がある。

1　幼少時から人生を運動トレーニングに捧げ、やがて世界一の走り高跳び選手になる。

2　ずるをする。

ひとつめの選択肢は、言うまでもなく立派な方法だが、もしもあなたがこちらを選ぶなら、この本を読んでも意味はない。ここではふたつめの選択肢について話そう。

走り高跳びでずるをする方法はたくさんある。はしごを使ってバーを越えることもできるが、それでは跳んでいるとは言えない。エクストリーム・スポーツ（パラシュートなしのフリーダイビングや命綱なしのフリークライミングなど、危険度が高い競技）の熱心なアスリートたちに人気の、ばねつきのジャンピングスティルト[1]（スティルトとは日本の竹馬に似た器具で、ジャンピングスティルトは特に棒状の部分がバネ板でできている）を身に着けることもできる――もしもあなたが十分運動が得意なら、これだけであなたは、そんなものを一切使わない選手に対して優位に立てるかもしれない。しかしスポーツ選手たちが知る、純粋に垂直方向の高さをかせぐためのよりよい手法がすでにある。それが棒高跳びだ。

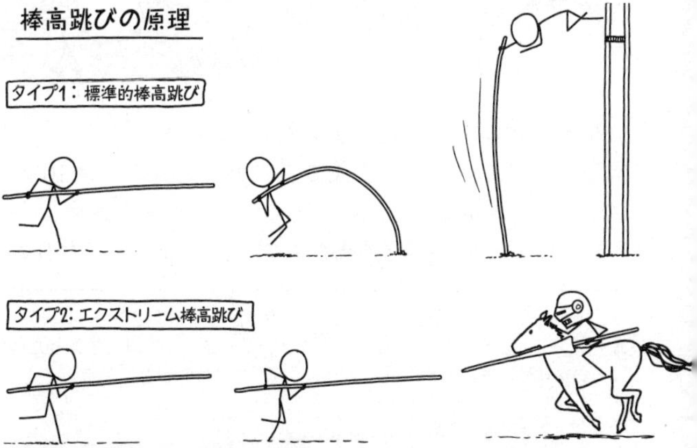
棒高跳びの原理
タイプ1：標準的棒高跳び
タイプ2：エクストリーム棒高跳び

棒高跳びでは、選手はまず助走をはじめ、しなやかなポールを直前の地面に押し当て、自分の体を空中に投げ上げる。棒高跳びの選手は、何の補助も使わない走り高跳びのトップ選手の数倍も高くジャンプできる。

棒高跳びの物理は面白いもので、意外かもしれないが、ポールはあまり重要ではない。棒高跳びの要《かなめ》は、ポールのしなやかさではなく、選手が走る速さだ。ポールは単に、その速さの向きを効率的に上へと変える手段でしかない。理論的には、選手は何か他の方法を利用して、方向を前から上へと変えることもできる。ポールを地面に押しつける代わりに、スケートボードに飛び乗り、なめらかな曲線でできた斜面をのぼっても、棒高跳びとほぼ同じ高さに到達することができる。

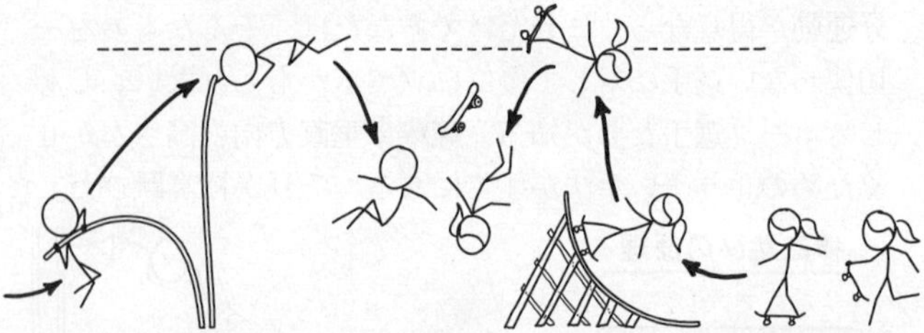

単純な物理を使って、棒高跳びで達し得る最高の高さを見積もってみよう。短距離走者のチャンピオンは10秒で100メートル走る。地球の重力のもとで、その速度で上向きに放たれた物体がどの高さまで上昇するかは、次のよう

(1)　1990年代に子どもだった人の場合は、ニコロデオン®のムーンシューズ®™（訳注：アメリカのTVネットワーク、ニコロデオン社が販売していた靴で、底にトランポリンのようなバネが仕込まれていた）。

なちょっとした計算でわかる。

$$\text{高さ}=\frac{\text{速度}^2}{2\times\text{重力加速度}}=\frac{\left(\frac{100\text{メートル}}{10\text{秒}}\right)^2}{2\times 9.805\,\frac{\mathrm{m}}{\mathrm{s}^2}}=5.10\text{メートル}$$

棒高跳びの選手はジャンプする前に助走しているので、彼らの重心はそもそも地面より高いところから出発しており、このぶんの高さが、最終的に到達する高さに上乗せされている。普通の大人の重心は腹のあたりにあり、たいていは彼らの実際の身長の55％ぐらいのところと見ていい。男子棒高跳び（室内）の世界記録保持者ルノー・ラビレニは身長1.77メートルなので、彼の重心の高さは0.97メートルだ。この高さを上の式で得た高さに足し合わせると、最終的に予想される高さ、6.08メートルが得られる。

私たちのこの予測、現実と照らし合わせてみてどうだろう？　実際の世界記録は高さ6.16メートルだ。ささっと近似しただけにしては、いい線いっているではないか[2]！

もちろん、走り高跳びの選手権に棒高跳びのポールを持って参加すれば、その場で失格となるだろう[3]。しかし、審判たちは文句は言うだろうが、阻止はしないのではないか。とりわけ、ポールを振り回して脅しながら近づくなら。

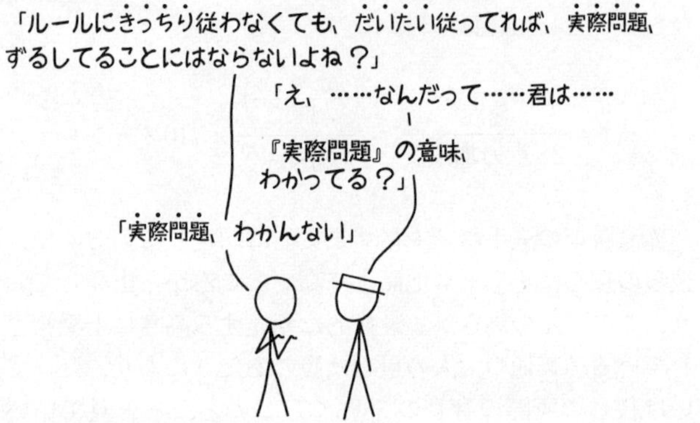
「ルールにきっちり従わなくても、だいたい従ってれば、実際問題、ずるしてることにはならないよね？」
「え、……なんだって……君は……『実際問題』の意味、わかってる？」
「実際問題、わかんない」

（2）　棒高跳びの世界記録について、物理学はもうひとつ面白い雑学を教えてくれる。地球の重力が下向きに引く強さは場所によって違うが、その理由はふたつあって、ひとつは地球の形がその重力に影響するから、そしてもうひとつは、自転の運動が物体を外向きに「投げ飛ばす」からだ。こうした効果は、物事の大きな図式のなかでは些細なことだが、場所による違いは0.7%にもなることがある。これは、あなたが歩き回っていて気づくには小さいが、体重計を買ったときに較正（こうせい）が必要なほどの大きさではある。体重計工場での重力は、あなたの家の重力と少し違う可能性があるのだ。

場所による重力の違いが、棒高跳びの記録に実際に影響を及ぼしたかもしれない例もある。2004年6月、エレーナ・イシンバエワは4.87メートルという女子棒高跳びの世界記録を樹立した。この記録が測定されたのはイギリスのゲーツヘッドだった。1週間後、スベトラーナ・フェオファノワは4.88メートルを跳んで、イシンバエワの記録を1センチの差で破った。だが、フェオファノワがこの記録を出したのはギリシアのイラクリオで、そこでは重力は少し弱い。その差は、もしもイシンバエワが望んだなら、「フェオファノワが記録を破ったのは重力が弱かったからだけのことで、自分のゲーツヘッドでのジャンプのほうがすごかったのだ」と主張してもいいほどだった。

イシンバエワは、物理の複雑な話になってしまう、こんな主張はやめておこうと決心したようで、代わりにもっとわかりやすい対応をした。つまり、数週間後彼女は、再び重力が強いイギリスでジャンプを行ない、フェオファノワの記録をあっさりと破ったのだ。2017年時点で、彼女はなおも女子の世界記録を保持している（2021年11月時点でもなお彼女が記録保持者）。

あなたの記録が、正式なものとして残ることはないが、そんなことはかまわない――あなたは心の中で、自分がどれだけ高くジャンプしたか、いつまでも覚えているだろうから。

しかし、もっと大胆にずるをする気があるなら、6メートルよりも高くジャンプできる。しかも、ものすごく高く。ただ、いい場所を見つけて、そこから体を放りだせばいいのだ。

長距離や短距離などの走者は、空気力学を利用する。彼らは、体にぴったりフィットする滑らかなユニフォームを着て、空気抵抗を減らして、スピードをいっそう高める。跳躍競技の選手らの場合はその結果、より高くジャンプできる[(4)]。これをもう一歩進めればいいんじゃないか？

もちろん、実際にプロペラやロケットを使って自分の体を推進するのは無効だ。それを涼しい顔で「ジャンプ」と呼ぶなんてあり得ない[(5)]。それはジャンプではなく、「飛行」だ。しかし、ほんの少し滑空するだけなら……なんら問題ないのでは。

落下するすべての物体の軌跡は、その周囲の空気がいかに動くかに影響される。スキージャンプの選手は、空中で

---

(3)　少なくとも、私はそう思う。これまでに誰も試したことがないということはあり得る。

(4)　本書の執筆時点で、ビクトリア朝時代のフープスカート（訳注：鯨ひげや針金を輪にして重ねた骨組みを下に着用することで大きく膨らませた長いスカート）をはいた選手の最高のジャンプの記録は存在しないが、もしあったとしても、一般の記録より低いだろう。

(5)　これは確かにずる（チート）だが、浮気（チート）にくらべれば気はとがめない。

の姿勢を調整することで、空気力学を利用して高さをかせぐ。ちょうどいい風が吹いている場所を見つければ、あなたもこれと同じことができる。

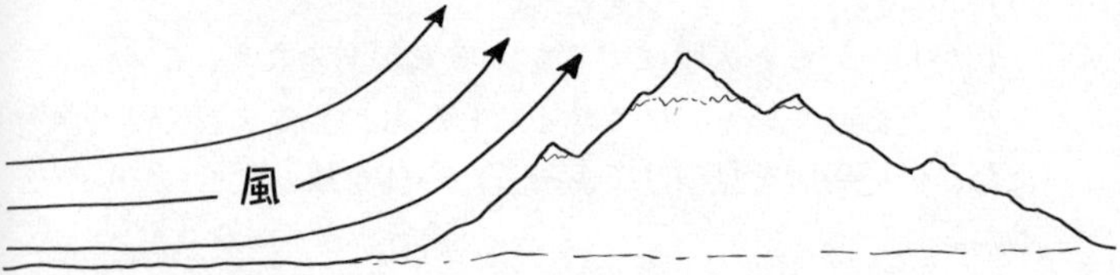

短距離走者は、追い風を受けながら走れば、一段とスピードが上がる。これと同じように、風が上向きに吹いているところでジャンプすれば、あなたはより高いところに到達できる。

あなたを上へ押し上げるには、強い風——つまり、あなたの終端速度より速い風——が必要だ。あなたの終端速度とは、あなたが大気中を落下する際に、通り過ぎる空気の抗力と、重力による下向きの加速が釣り合って到達する、最高の速度である。これは、あなたを地面から風が持ち上げる際に、風が必要とする最低速度と同じだ。すべての運動は相対的なので、あなたが大気中を下向きに落下していようが、空気が上向きにあなたを通過していようが、同じである。(6)

人間は空気よりもはるかに密度が高いので、私たちの終

(6)　少なくとも、物理学の観点からは。あなた個人にとっては、この向きの違いにはおそらくとても大きな意味があるだろう。

端速度は結構高い。落下する人間の終端速度は時速約 200 キロメートルだ。風を利用してジャンプの高さを大いにかせぎたければ、少なくとも終端速度と同程度の上向きの風が必要になる。風がこれよりはるかに弱ければ、ジャンプの高さにはそれほど影響をおよぼさない。

鳥は、暖かい空気が上昇して柱のようになっているところ――上昇温暖気流と呼ぶ――をエレベーターのように利用する。鳥は翼をはばたかせることなく、円を描きながら、この上昇気流に身を任せて上へ上へと運ばれていく。このような上昇する暖気は、あまり強くない。鳥よりも大きな人間の体を上昇させるには、もっと強力な上昇気流源を見つけなければならない。

地表近くの最強の上昇気流には、山の尾根近くで生じるものがある。風が山や尾根にぶつかるとき、気流の向きが上向きに変わることが多い。こうして上昇しはじめた風が非常に強くなるような場所が世界各地にある。

残念ながら、その絶好のポイントを選んだところで、真上方向の風は人間の終端速度には程遠いのが普通だ。そういった風に助けてもらっても、せいぜい、ほんの少し高さがかせげるくらいだろう(7)。

風速を上げる代わりに、空気力学を利用した特殊な衣服を着て、終端速度を下げるという考え方もある。いいウイングスーツ――ムササビスーツとも呼ばれる、腕と脚のあいだにシート状の素材を張ったジャンプスーツ――は、着

(7)　おまけに、切り立った尾根の近くで試合をやるよう審判らを説得する必要もあるが、それは難しいだろう。

用者の降下速度を時速200キロメートルから時速50キロメートルにまで下げてくれる。これでも実際に上昇気流に乗るにはまだ速すぎるが、あなたのジャンプを少し高くしてくれるはずだ。一方あなたは、ウイングスーツで全身を包まれた状態で助走しなければならないので、おそらくそれで風のご利益《りやく》は帳消しになってしまうだろう。

ジャンプを大幅に高めたければ、ウイングスーツを超えた、パラシュートやパラグライダーの世界に踏み込まねばならない。こうした大型の装置を使えば、人間の落下速度は大幅に下がるので、地表を流れる気流、すなわち地上風の強さで、十分持ち上げてもらえるようになる。熟練したパラグライダーたちは地表からスタートして、リッジ風（尾根筋を吹き上げる気流）や上昇温暖気流に乗って、高度3000メートル近くまで上昇することができる。

さらに、もしもあなたが、真の走り高跳びの記録を残したければ、ずっといい方法がある。

風が山を越えて流れているところでは大抵、「山岳波」（風が山を越えたときに風下で発生する、大気を伝わる波動）は発生しても下層大気の範囲内にしか広がらず、そのため、これを使ってグライダーが到達できる高さにも限度がある。しかし、場所によっては、諸条件が整えば、こういう気象擾乱《じょうらん》が極渦《きょくうず》や極夜《きょくや》ジェット気流(8)と強めあって、成層圏に達

---

(8)　極夜ジェット気流（ポーラー・ナイト・ジェット）とは1年のうちの一定の時期に北極あるいは南極付近で生じる、高高度を流れる気流のこと。子供がある夜、魔法のステルス爆撃機に乗って北極のサンタに会いにいく『夜行ジェット便「北極号」（ポーラー・ナイト・ジェット）』なる心温まる絵本ではないので念のため（訳注：C・V・オールズバーグ著『急行「北極号」』〔THE POLAR EXPRESS〕のもじり）。

する波を形成することがある。

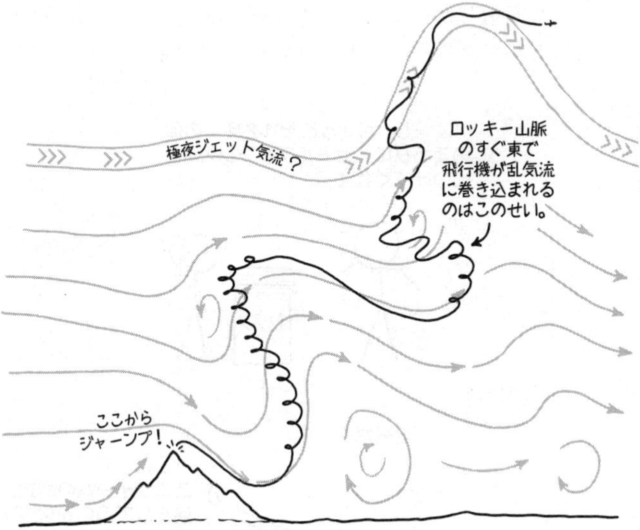
極夜ジェット気流？
ロッキー山脈
のすぐ東で
飛行機が乱気流
に巻き込まれる
のはこのせい。
ここから
ジャーンプ！

2006年、スティーブ・フォセットとアイナー・エネボルドソンは、グライダーで成層圏まで届く山岳波に乗って海抜1万5000メートルを越えた。これは、エベレスト山の2倍近い高さで、民間航空機が飛ぶ最高高度より高い。この飛行で、グライダーの到達高度の記録が更新された。フォセットとエネボルドソンは、成層圏山岳波に乗り続けていれば、もっと高くまで行けたはずだと豪語する——気圧が低下して、着ていた与圧服が膨張し、制御装置が操作できなくなったため、引き返しただけだったのだ、と。

高くジャンプしたければ、セールプレーン（固定翼グライダーの一種）のような形をした服を作って――ファイバーグラス樹脂《レジン》とカーボンファイバーからそのようなものを作ることができる――、アルゼンチンの山地へと向かえばいい。

「よーし、ちょっとそれをぼくの体のまわりに、セールプレーンの形につけてくれよ」
レジン

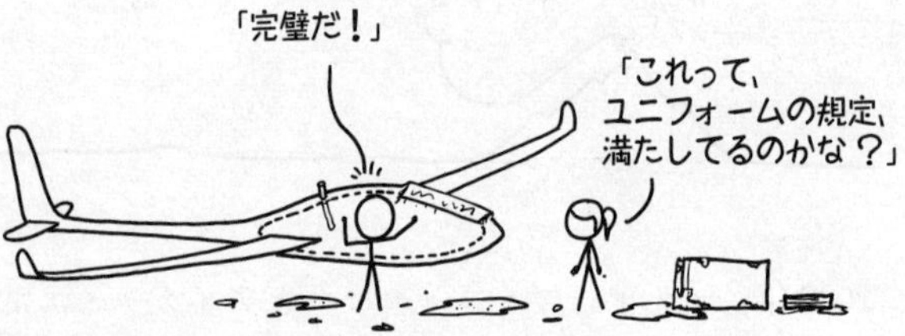
「完璧だ！」
「これって、ユニフォームの規定、満たしてるのかな？」

いい場所が見つかり、そして諸条件が最適なら、セールプレーン・スーツにきっちり隙間なく身を包み、空中へとジャンプし、尾根を上昇するリッジ風をとらえ、その風に乗って成層圏まで達することができる。この種の波をなす気流にグライダーで乗るパイロットたちは、他のどんな固定翼飛行機よりも高い高度まで上昇できる可能性がある。[9] 1度のジャンプとしては、それは悪くない。[10]

あなたがほんとうに幸運なら、オリンピック会場の風上に、いい場所がたぶん見つかる。そうしたら、その尾根からジャンプすれば、成層圏の風があなたをオリンピック会場まで運んでくれて……

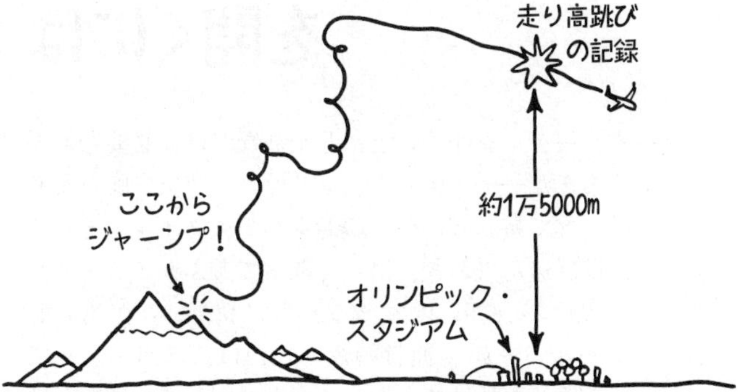

……走り高跳び史上最高の記録を樹立させてくれるだろう。

おそらく、あなたにメダルが与えられることはないだろうが、そんなことはどうでもいい。そのときあなたは、自分が真のチャンピオンだと知っているだろうから。

---

(9)　セールプレーン・スーツの内側の、あなたの体のまわりの空間（キャビン）を与圧する必要があるが、それはさほど難しくないのでは？　ファイバーグラスの機体の外壁から空気が絶対に漏れないようにし、呼吸のためにホースを１本つけておくこと。数千メートル上昇して気圧がかなり下がってきたら、ホースを締めつけて、機体の内側に自分を封じ込めよう。あなたはその高さにしばらく留まる可能性があるので、空気がなくなってしまわないように、キャビンは十分大きくしておこう。

(10)　ここまでの説明で機体に扉を作るのを忘れてしまったので、着陸したら友だちを呼んで、セールプレーン・スーツをハンマーでたたき割って、開けてもらってください。

第2章 プールパーティを開くには

プールパーティを開くことにしたあなたは、必要なものは全部そろえた——スナック、ドリンク、空気で膨らませて水に浮かべて遊ぶビニールのおもちゃ、タオル、そしてプールに投げ込んでおき、潜って取って遊ぶダイブ・リング（リング状のプール用遊具で、潜る練習にも使えるもの）も。しかし、プールパーティ前日の夜あなたは、「何か忘れてる」という感じを払拭できない。庭を見回して、あなたはそれが何だったか気づく。

あなたの家にはプールがなかった。

あわてない、あわてない。この問題は解決できる。大量の水と、それを入れる物があればいいのだ。まず、入れ物の問題を解決しよう。

プールには大きくふたつの種類がある。地面に掘ったプールと、地面の上に載っているプールだ。

地面に掘ったプール

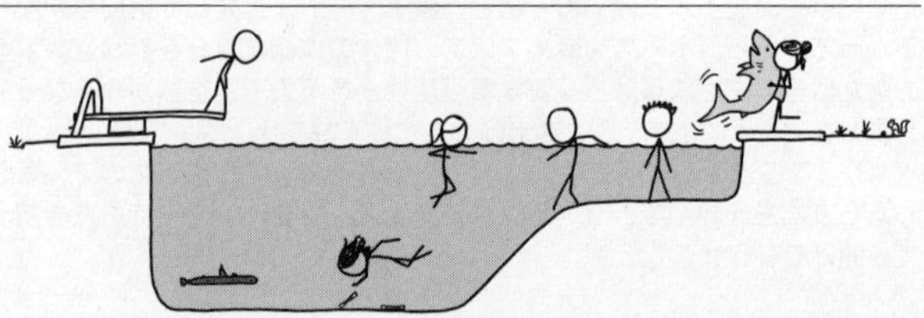

地面に掘ったプールとは、つまるところ、「立派な穴」だ。この種のプールは、作るのは大変だが、パーティの最中に壊れる可能性は低い。

地面に掘ってプールを作りたいなら、まず第３章「穴を掘るには」を参照し、そこにある縦６メートル、横９メートル、深さ1.5メートルの穴を掘るための指示にしたがってほしい。しかるべきサイズの穴を掘ったら、パーティの最中に水が泥に変わったり、流れてなくなってしまわないように、壁の表面に何らかのコーティングを施したほうがいいだろう。大きなビニールシートや防水シートをお持ちならそれを使ってもいいし、液体ゴムスプレーを試してみるのもいい――錦鯉の池の底をコーティングするのに使うその種のスプレーが市販されている。店の販売員には、「うちにはほんとに大きな鯉がいるんですよ」と言えばいい。

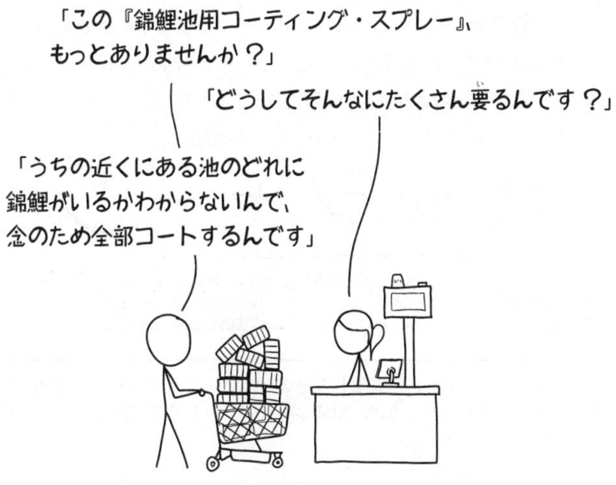
「この『錦鯉池用コーティング・スプレー』、
もっとありませんか？」
「どうしてそんなにたくさん要《い》るんです？」
「うちの近くにある池のどれに
錦鯉がいるかわからないんで、
念のため全部コートするんです」

もうひとつの方法――地上プール

地面に掘ったプールはやめることにしたなら、地上プールを試してみるといい。この手のプールの構造は比較的単純だ。

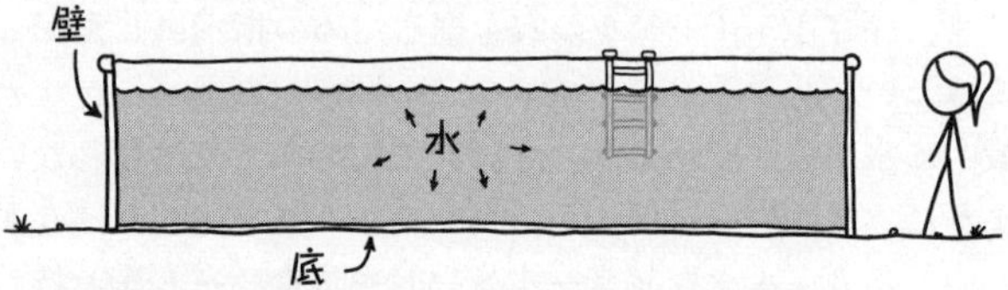

残念ながら、水は重い。床に置いた水槽に水を満たし、テーブルの上に持ち上げたことのある人に聞いてみるといい。重力は水を下向きに引っ張るが、地面も同じ力で押しかえす。その結果水の圧力は外向きに変換される。つまり、水はプールの壁を外向きに押すようになり、壁はあらゆる方向に引き延ばされる。このフープ応力（内圧を受ける円筒で、側面の円周方向に働く引っ張り応力）と呼ばれる張力は、水圧が最も高くなる、壁の基部で最大になる。[(1)] フープ応力が壁の引っ張り強度を上回ると、壁は壊れる。

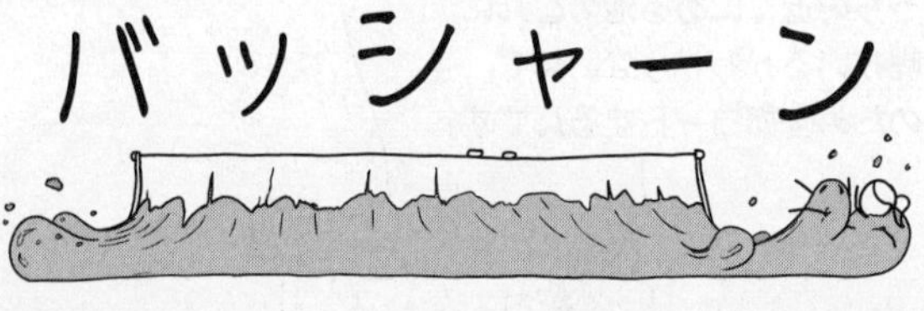

(1)　実際には、材料の不均質性とその「応力‐ひずみ曲線」のおかげでこれより早く壊れるだろうが、単純な引っ張り強度を近似として使うことができる。

プール作りに使えそうな材料をひとつ――たとえばアルミ箔を見てみよう。壁がアルミ箔でできたプールに、壁を壊すことなく、どのくらいの深さまで水を張れるだろうか？　この疑問をはじめ、プールの設計に関する多くの疑問には、次に挙げるフープ応力の公式を使って答えることができる。

$$\text{フープ応力}=\text{水深}\times\text{水の密度}\times\text{地球の重力}\times\frac{\text{プールの半径}}{\text{壁の厚さ}}$$

では、アルミ箔の場合の数値をこの公式に代入してみよう。アルミニウムの引っ張り強度は約300メガパスカル（MPa）で、アルミ箔の厚さは約0.02ミリだ。のびのびと遊べるように、プールの直径は9メートルとしておこう。以上の値を公式に代入し、式を変形すれば、ぴかぴかでしわくちゃのアルミ箔プールで、フープ応力とアルミの引っ張り強度が等しくなって壁が壊れる前に水深はどこまで達するかを見ることができる。

$$\text{水の深さ}=\frac{\text{壁の厚さ}\times\text{壁の引っ張り強度}}{\text{水の密度}\times\text{重力加速度}\times\text{プールの半径}}$$

$$=\frac{0.02\text{mm}\times300\text{MPa}}{1\frac{\text{kg}}{\ell}\times9.8\frac{\text{m}}{\text{s}^2}\times\frac{9\text{m}}{2}}\fallingdotseq\text{約}13\text{cm}$$

残念ながら、13センチではプールパーティは無理だ。

薄いアルミ箔の代わりに、厚さ2.5センチの材木を使うことにすると、計算結果はずっとよくなる。材木はアルミ箔より引っ張り強度は低いが、厚さがあればそれを埋め合わせることができ、深さ23メートルまで水を張ることができる。たまたまその厚さで直径9メートルの木の円筒を持っていたなら、あなたはラッキーだ！

（訳注：ユグドラシルは北欧神話に出てくる、世界を体現するとされる架空の巨木）

また、この方程式を別のかたちに変形すれば、希望する深さの水を支えるために必要な壁の厚さを計算する式にもなる。たとえば、深さ90センチほどのプールがほしいとしよう。使う材料の引っ張り強度がわかれば、次のように変形した式から、その量の水を維持するのに必要な壁厚《かべあつ》が得られる。

$$\text{壁厚}=\frac{\text{水深}\times\text{水の密度}\times\text{重力}\times\text{プールの半径}}{\text{壁の引っ張り強度}}$$

物理学が素晴らしいのは、あなたの望むどんな材料についても、こうした計算ができることだ。たとえそれが何かばかげたものだったとしても。物理学は、あなたの疑問が奇妙であっても気にしない。とがめだてなどせず、ただ答を与えてくれる。たとえば、456ページの分厚い総合的なハンドブック、『チーズの流動学と構造（*Cheese Rheology and Texture*）』（未訳）によれば、グリュイエール・チーズというハードチーズの引っ張り強度は70キロパスカル（kPa）だ。この数値を式に入れてみよう！

$$\text{壁厚}=\frac{90\text{cm}\times1\frac{\text{kg}}{\ell}\times9.8\frac{\text{m}}{\text{s}^2}\times\frac{9\text{m}}{2}}{70\text{kPa}}\fallingdotseq60\text{cm}$$

これはいい！　厚さたった60センチのチーズの壁で、プールを作ることができる！　問題は、あなたが何と言って促しても、誰もそのなかに飛び込んでくれそうにないことだ。

「ぼくんちのプールパーティへ、
ようこそ！」
「これ……グリュイエール・チーズ？」
「うん！　最初は穴あきの
『スイス』チーズでやってみた
んだけど、大失敗だったよ」
6万キロカロリー
約90センチ

（訳注：グリュイエール・チーズは、グリュイエール地方で作られるスイス・チーズの一種。ここで『スイス』チーズと呼んでいるのは、『スイスチーズ』という名称のアメリカ産チーズのことらしい）

チーズには実際的な問題がいくつかあることからすると、おそらくプラスチックやファイバーグラスなどの伝統的な材料を使っておくほうが無難だろう。ファイバーグラスの引っ張り強度は約150メガパスカルなので、たった１ミリメートルの壁厚で、余裕の引っ張り強度で水を張って使えるプールができる。

水を調達しよう

これでプールは用意できたので――地面に掘ったプールにしろ、地上プールにしろ――、次は水が必要だ。だが、どれだけの量が必要なのだろう？

庭にある地面に掘った普通のプールには、さまざまな大きさのものがあるが、飛び込み台がひとつつけられるほどの、中程度の大きさのプールなら、７万5000リットルほどの水が入ると考えられる。

あなたのお家に、庭の水まき用ホースがあり、市の水道が引いてあれば、その水とホースでプールを満たすことができる可能性はある。しかし、プールに素早く水を張れるかどうかは、ホースの水の流量による。

水圧が十分あり、ホースが十分太ければ、毎分 40 ～ 80 リットル程度の流量が得られるはずで、これだと丸一日かそこらでプールを満たすことができるだろう。流量が少なすぎる場合——あるいは、あなたが井戸水を使っておられる場合（プールを満たす前に井戸が枯れてしまうおそれがある）——、別の解決策を見つけなければならない。

「ひとつ思いついたよ！」
「イケてるやつ？」
「超スゴいやつ」

インターネット水

多くの地域で、アマゾンなどのネット小売業者が同日配達のサービスを提供している。フィジーウォーター 24 本パックの値段は現在約 25 ドルだ。あなたが、自由に使えるお金を15万ドル持っているなら——そしてそれとは別に、当日配達料金としてさらに10万ドルほど必要だが——、あなたはボトルに入ったかたちで、プールを注文できる。おまけに、あなたの新しいプールは、フィジーから送られた水だけで満たされることになる。

だが、新たな問題が生じる。配達された水を、全部プールに注がなければならないのだ。

これは、あなたが考えていたより難しいかもしれない。たしかに、1本ずつキャップを外してプールに水を注ぐことはできるだろうが、これだとボトル1本あたり2、3秒はかかる。ボトルは全部で15万本あり、1日にはたった8万6400秒しかないのだから、1本につき1秒以上かかるようでは、うまくいくはずがない。

ボトルを攻撃する

刀を使って、24本パックのボトルのキャップをすべて一気に切り落としてみてもいいかもしれない。1列に並べた水入りペットボトルに1本の刀で切りつけるスローモーション動画がネット上に多数存在する。このような動画から判断するに、それは驚くほど難しい。刀はボトルを次々と通過するにつれ、上向き、あるいは下向きにそれていきがちだ。たとえあなたが十分正確に刀を振り上げたとしても——さらに、必要な腕の強さと耐久力があったとしても——刀を使う方法は時間がかかり過ぎるだろう。

銃を使ってもやはり、あまりうまくいきそうにない。綿密な計画を立て、効率的な段取りをしたうえで、ある種の散弾銃を使えば、ひとケースぶんのボトル全部に一度に穴をあけることはできるだろうが、それでも、すべてのボトルに穴をあけて、そこそこの時間内にすべてのボトルの水を出しきるのは難しいだろう。それに、プールのなかは鉛だらけになり、それはやがて腐食して、ついには地下水を汚染してしまうだろう。水に塩素が入っていたなら、なおさらそうだ。

ボトルを素早くあけるのに使えそうな、もっともっと強力な武器にはさまざまな種類がある。ここではそのすべてを紹介することはしない。しかし、武器はあきらめて、もっと実際的な別の手段へと話を進める前に、すべての武器のなかで最も巨大で最も非実用的なものについて少し考えよう——核兵器を使って、ボトルをあけることはできるだろうか？

これはまったくばかげた提案で、冷戦時代にアメリカ政府がこれについて研究していたというのは、さもありなんというところだ。1955年の前半、連邦民間防衛局は、近

くの数軒の店からビール、ソーダ、そして炭酸水を買い、それらに対して核兵器のテストを行なった。(2)

えっと、彼らは買った飲み物をあけようとしていたわけではない。このテストの目的は、容器がどの程度持ちこたえるのか、そして、中身が被曝するのかを確かめることだった。民間防衛の計画者たちは、アメリカの都市部で核爆発が起こった直後、初動要員たちには飲料水が必要になると考え、市販の飲料が安全な給水源になるかどうか知りたかったのだ。(3)

政府がビールに核兵器をしかけた顚末《てんまつ》は、『市販用に包装された飲料への核爆発の影響』という17ページの報告書にまとめられており、ありがたいことにそのコピーが、核兵器史の専門家、アレックス・ウェラースタインによって発見された。

報告書には、爆発時、ネバダ核実験場周辺のさまざまな場所にボトルや缶がどのように配置されたかが詳しく記されていた。冷蔵庫のなかにあったもの、棚の上にあったもの、そして、ただ地面に置いただけのものがあった。(4) この実験は、「ティーポット作戦」の一環として実施された多数の核爆発のうちの2回に際して行なわれた。

---

(2) 念のために申し上げておくが、テストは店に対してではなく、飲み物に対して行なわれた。

(3) 彼らは特にビールに注目していた。そのことは、核攻撃後の復興というシナリオのなかで考えれば、もっといいものがあったはずとしか言えないし、そもそもこのテスト・プログラム全体が、誰かが飲み代（しろ）を経費で落としているのがばれたときに、あわてでっちあげた作り話ではないかと疑いたくなるような話だ。

飲料は驚くほどよく持ちこたえた。大半は爆発のあとも無傷だった。そうでなかったものは、飛んできた瓦礫《がれき》でつぶれたか、あるいは棚から落ちたときに破裂したものが多かった。低レベルの放射能汚染が見られたが、味は問題なかった。

爆発を経たビールの試料は、「5カ所の適格な研究施設」(5)に送られ、「注意深く制御された試験」にかけられた。ビールの味は概してよいというのがほぼ一致した意見だった。彼らは、核爆発後に回収されたビールは緊急水分補給用には安全と考えられるが、市場に戻すにはより詳細な試験が必要であろうと結論した。

1950年代にはプラスチックボトルは広まっておらず、すべてのテストでガラスおよび金属のボトルが使われた。それでもやはりこのテストからは、核兵器はおそらく優れた栓抜きにはならないだろうというのがわかる。

---

(4)　この実験では奇妙なまでの細部へのこだわりが見られた。たとえば、地面に置かれたボトルは爆心地からさまざまな角度に当たる位置に配置され、その角度は正確に測定されていた——爆心地にボトルの上が向いているもの、底が向いているもの、45度の角度で寝ているもの、そしてまっすぐ立ててあるものなどがあった。彼らはおそらく、飲料が核攻撃を持ちこたえる確率を最大にするためには、ボトルを市の中心部に対してどのような配置で保管すべきかを明らかにしたかったのだろう。

(5)　これはおそらく、「私たちの味方」の婉曲表現なんでしょうね。

工業用シュレッダー

ありがたいことに、刀、散弾銃、あるいは核兵器よりもはるかに速く私たちの目的を果たしてくれるような装置が存在する。工業用のプラスチック・シュレッダーだ。シュレッダーは、リサイクルセンターで大量のプラスチックボトルを細断するのに使われており、そして——おまけに——中身を絞り出してくれる。

ブレントウッド社のAZ15WL・15kWのようなシュレッダーは、毎時30トンという量を処理できる——同社の販促資料によると、プラスチックと水分の両方を合わせてこの量だそうだ。これなら、あなたのプールを2時間ちょっとでいっぱいにできるだろう。

工業用シュレッダーはだいたい数万から数十万ドルぐらいの値段なので、1回のパーティのために購入するにはかなり高額だ（あなたがこれまでにボトル入りの水に費やした金額に比べればなんでもないとはいえ）。しかし、自分が核兵器を何個持っているかを言えば、もしかしたら値引きしてもらえるかもしれない。

ほかの人にやってもらおう

もしも誰かほかの人が近所にプールを持っていて、その人のプールがあなたのプールよりも少し高いところにあるなら、サイフォンの原理をもちいてその人の水をちゃっかりいただくことができる。ふたつのプールを水が流れる管でつなぐことができれば、その人のプールからあなたのプールへと、水はどんどん流れてきてくれる。

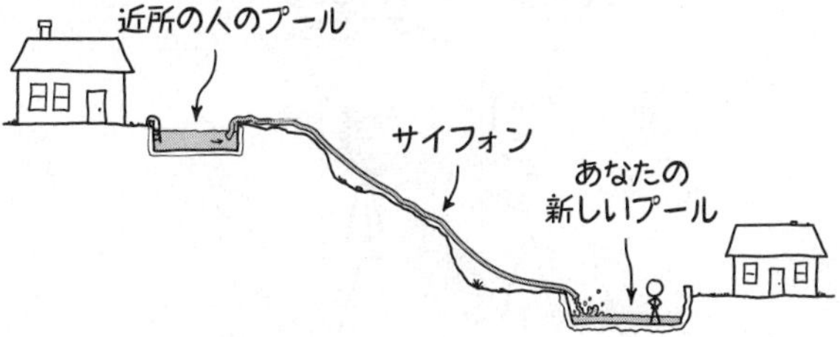

注意：サイフォンは、プールから水をくみ上げ、フェンスのような小さな障害物なら問題なく越えて運ぶことができるが、途中に高さが近所の人のプール（出発地点）よりも約9メートル以上高いところがあると、水は流れない。その理由は、サイフォンは大気圧を受けて水を運ぶのだが、地球の大気圧が重力に対抗して水を持ち上げられるのは約9メートルまでだからだ。

水を作ってしまおう

水は水素と酸素でできている。大気には大量の酸素が含まれているし[6]、水素のほうは、たしかにそれほどは存在しないが、入手不可能というわけではない。

うれしいことに、大量の水素と酸素を混ぜれば、それを水に変えるのは簡単だ。ちょっと熱を加えてやれば化学反応が続く。じつのところ、止めるのが大変なのだ。

「ぼくたちに必要な酸化反応を起こす方法を見つけたよ。しかもそれ、なんと、自分で勝手に持続するみたいなんだ！」
「火でしょ。それって火のことだよ」

問題は、この化学反応は偶然に始まってしまう場合があることだ。かつては、水素を詰めた袋で空中に浮かぶ巨大な飛行船が飛び回っていたが、1930年代に衝撃的な事故がいくつか起こってからは、水素ではなくヘリウムを使うようになった。現在では、水素が欲しければ、化石燃料抽出の副産物を回収し再処理するのが最善の方法だ。

(6) 2019年時点では。

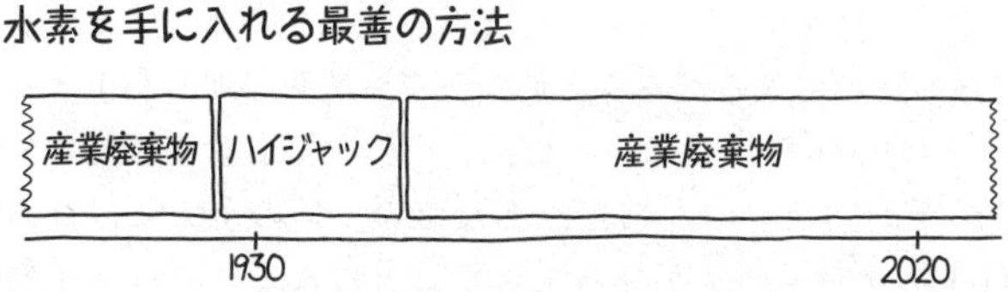
水素を手に入れる最善の方法
産業廃棄物
ハイジャック
産業廃棄物
1930
2020

空気から水をもらう

水蒸気——これが寄り集まって雲になり、ときには雨となって空から落ちてくる——というかたちで、すでに生成された H_2O が大気中に漂っているのなら、あらためて水素と酸素を結合させて水を作るまでもない。平均して、地表1平方メートルを底面とする大気の柱1本には約23リットルの、ペットボトルにして24本パック2個ぶんの水分が含まれている[7]。

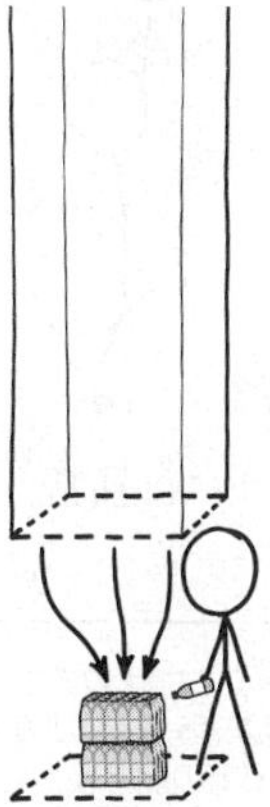

その水分がすべて雨となって降ったら、厚さ2.3センチほどの層ができるだろう。あなたがお持ちの地所が1エーカー（約4000平方メートル）で、上空の大気に含まれる水分量が平均的なものならば、あなたの土地の上方には9万2000リットルの水が漂っていることになる。プール1個が満たせるほどの量だ！　あいにくながら、その水分の大部分は手の届かない高所にあるわけだが。この水を好きなときに「降らせる」ことができればいいだろうが、人工降雨プロジェクトが長年にわたって試みられているにもかかわらず、降雨を誘発する確実な方法を見つけた者はまだいない。

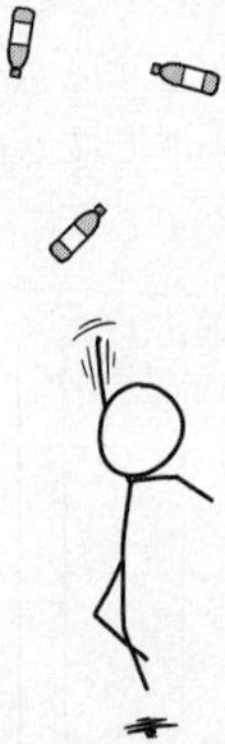

空気から水を取り出すには通常、空気に低温の面を通過

(7)　これはあくまで平均値だ——平方メートルあたりの水分量は砂漠上空の冷たい大気中のほぼゼロから、熱帯地方の高湿度の日中の土地1平方メートルあたり75リットルまでの開きがある。

させて水分を凝結させるという方法をとる。あなたの手持ちの空気に含まれるすべての水分を集めるには、高さ数キロメートルの冷却塔を建設する必要がある。都合のいいことに、空気は勝手に動いてくれるから、キロメートルレベルの高さの塔をつくるにはおよばない――風さえあれば、家の中を吹き抜ける空気から水分を集められる。

　だが実際、湿気を集めて水を得るというのはまったくもって不経済なやり方だ。空気を冷却して水分を凝結させるには、莫大な労力を要する。たいていの場合、ただ単純にトラックで水が多くあるところに乗りつけ、水を汲んで戻ってくればエネルギーの節約になるだろう。さらに言えばこのような湿気収集による水分調達策は、たとえ理想的な状況下であってもあなたのプールをいつでもさっと水で満たすわけにはいかないし、風下に住むご近所さんの迷惑になると思われる。

急にお肌がカサカサに
なった気がするんだけど、
なんでかしら？

海から水をもらう

　海には大量の水がある(8)ので、あなたが少し拝借したとしてもたぶん誰も気にするまい。あなたのプールが海面よりも低いところにあって、塩水のプールでもかまわないというのなら、これも選択肢のひとつになるだろう。あなたは、地下に水路を掘り、海水を流れ込ませればいい。

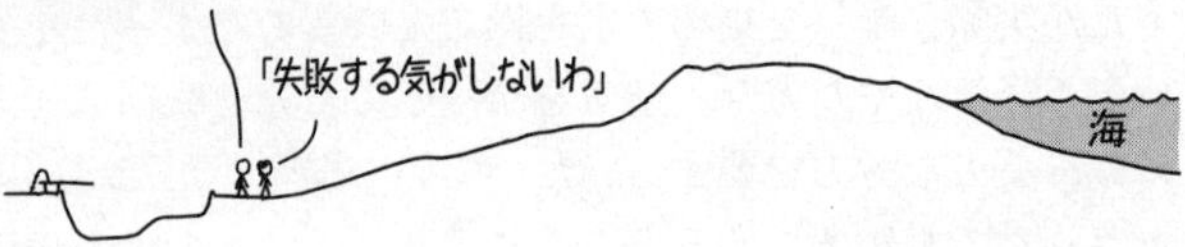
「小さな仮の水路を掘ろう。
誰も気にしないさ」
「失敗する気がしないわ」
海
空のプール

誰が意図したのでもなかったのだが、この「海から水が流れてくる」という事態が実際に、極めてドラマチックに起こったことがある。

マレーシアは、かつて世界最大のスズの産出国だった。このスズの採鉱場のひとつが西の海岸近く、海から200メートルも離れていないところにあった。1980年代にスズの市場が崩壊すると、採鉱場は放棄された。1993年10月21日、採鉱場と海の境目にあった、幅の狭い堤防を破って水が流れ込んだ。海水が猛烈な勢いで押し寄せ、数分のうちに採鉱場を満たした。このときできた入り江は今日《こんにち》なお存在し、地図の北緯4度24分、東経100度35分24秒の地点に確認できる。たまたま近くにいた人がこの大洪水をビデオカメラに収めており、その映像がその後インターネットにアップされた。それは、画質が悪いにもかかわら

(8) [要出典]

ず、これまでに録画された最も衝撃的な動画のひとつになっている。(9)

あなたのプールの底が海水面より高いところにあれば、海につなげても水は入ってこない。水はひたすら低いほうへ、海に向かって流れるだけだ。しかし、海をあなたのところまで持ち上げられるとしたら、どうだろう？

あなたは運がいい。それは望むと望まざるとにかかわらず、実際に起こっている。温室効果ガスによって地球に熱が蓄積しているおかげで、海水位はもう数十年にわたって上昇しつづけている。海水位の上昇は、氷が溶け、水が熱膨張している相乗効果で引き起こされる。プールを水で満たしたいなら、海水位の上昇を加速させてみるといい。もちろん、気候変動が環境と人間に及ぼす測り知れない損害は一層ひどくなるだろうが、その一方で、あなたは楽しいプールパーティを開けるのだ。

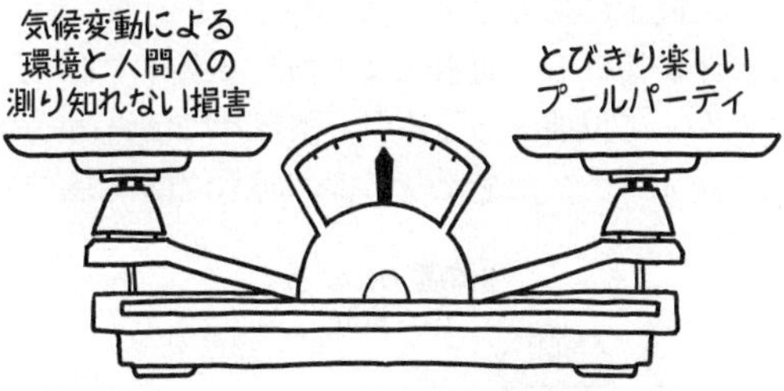

あなたが急激に海水位を上げたくて、たまたま隣の土地

---

(9)　「パンタイ・レミスの地滑り（Pantai Remis landslide)」で検索のこと。

に巨大な氷床があったなら、その氷床を溶かすのが海水位を上げる最善の方法だと思えるかもしれない。

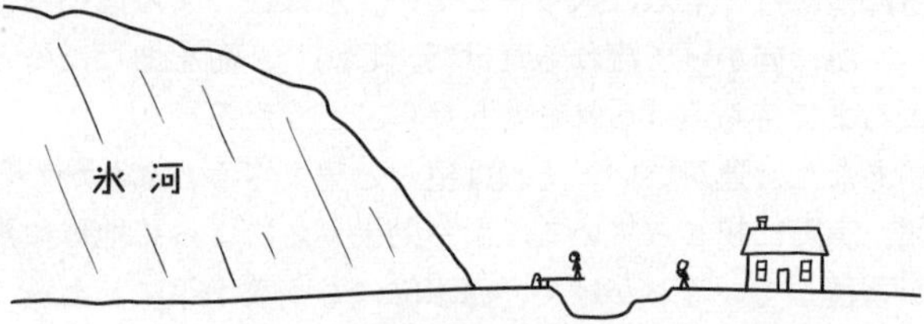
氷河

しかし、直観に反する物理の理屈があって、隣の氷床を溶かすと、実際には海水位は下がってしまう可能性があるのだ。あなたがやるべきことは、地球の反対側にある氷を溶かすことだ。

こんな奇妙な効果が生じるのは、重力のせいだ。氷は重いので、陸上にあるときには、海を少しそちら側へと引っ張る。氷が溶けると海水位は平均して上昇するが、もはや陸に向かって以前ほど強く引っ張られてはいないので、溶けた氷が元々あったあたりでは、海水位は実際には下がってしまう。

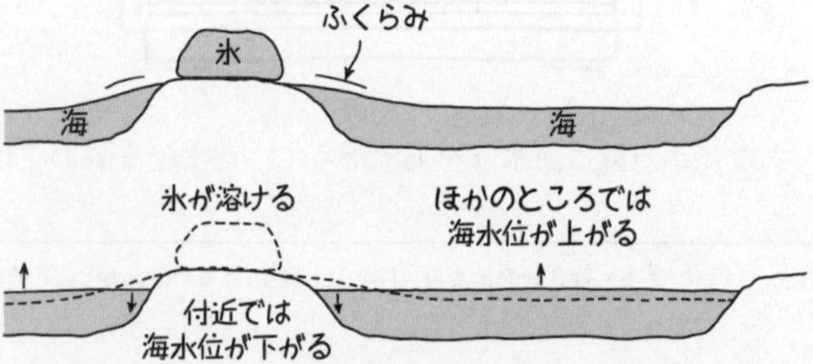
氷の重力による
ふくらみ
氷
海
海
氷が溶ける
ほかのところでは
海水位が上がる
付近では
海水位が下がる

南極の氷が溶けると、海水位は北半球で最も上昇する。一方、グリーンランドの氷が溶けると、海水位はオーストラリアとニュージーランドで最も上昇する。あなたが住んでいるところの近くで海水位を上げたければ、まず、地球の反対側に氷床があるかどうかを確認する。もしもあるなら、それこそが溶かすべき氷なのだ。

陸から水をもらう

溶かすのにいい氷が見当たらないなら——あるいは、地球規模の海水位上昇を助長したくないなら——農業をやる人々が数千年にわたって水を得るために行なってきたことを試してみるといい。川を借用するというのがその方法だ。

近くの川を見つけて仮のダムを作り、あなたのプールに向かって、それを満たせるだけのあいだ流れるよう誘導するのである。しかし、気をつけてほしい。以前、これと似たような取り組みが、とんでもない事態を招いたのだ。

1905年、カリフォルニアとアリゾナの州境の技師たちが、コロラド川から農地へ水を運ぶ灌漑《かんがい》用水路を建設していた。コロラド川から水を引こうというこの事業は、残念なことに、あまりにうまく行きすぎた。新しい用水路に流入する水が、水路を深く広く侵食しはじめ、おかげでますます多くの水が流れ込むようになった。水路を遮断して事業を打ち切って(10)しまうまでに、コロラド川はその流水のかなりを奪われていた。失われたぶんの水流が灌漑事業の地点よりも下流の、元は乾いていた谷を水浸しにし、新しい、想定外の湖にしてしまった。

　これがソルトン湖だが、20世紀のあいだに成長したり水位が下がったりを繰り返したあと、現在では、灌漑用の水がどんどん引き出されるにつれ、水量は減りつつある。乾いた湖底からは農業廃棄物やその他の汚染物質が混じった埃を風が巻き上げ、それが近くの多くの町まで到達し、呼吸が苦しく感じられるときもあるという。汚染された水は徐々に塩分濃度が高まり、すでに水生生物の大量死を起こしており、腐敗する藻と魚の死骸で腐った卵のような悪臭が満ち溢れ、西へと漂い、はるかロサンゼルスまで届くこともある。

　ひどい話と思われるかもしれないが、お気になさらずに——このような悲惨な環境破壊に至る結果が現れるまでには、しばらく時間がかかる。

（10）「事業を打ち切る」は英語で pull the plug（プラグを抜く）だが、ていうより、水路を遮断したんだから、栓をした（put in the plug）ってことかな。

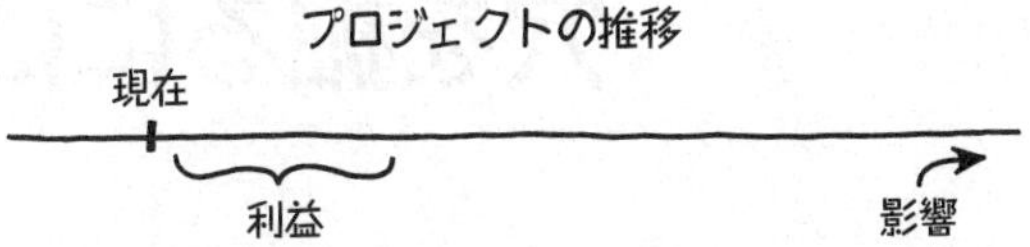

実際、ソルトン湖は一時期、観光地として人気で、ヨット・クラブ、洒落《しやれ》たホテル、そして水泳場などがあった。やがて湖の水質が一層悪化し、観光地全体が廃墟になった。だが、こうした影響の一切合切《いつさいがつさい》は、明日考えればいい。

とりあえず今は、プールで騒ごうよ！

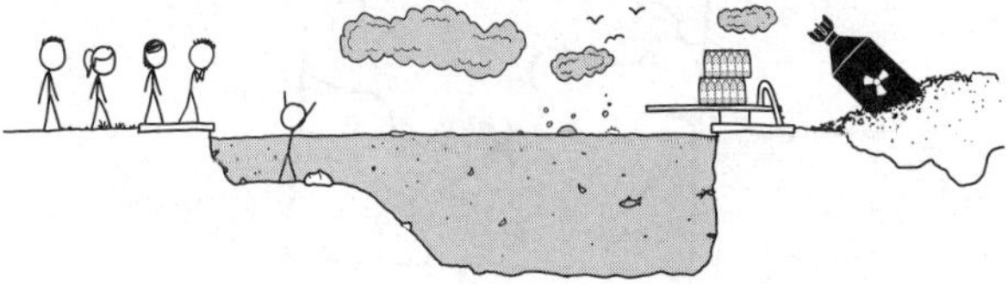

第3章 穴を掘るには

穴を掘る理由はさまざま。木を植えたい、地面に掘る形式のプールをつくりたい、ドライブウェイをつくりたい。ひょっとしたらあなたは財宝の地図を手に入れて、×印のところを掘り返しているのかも。

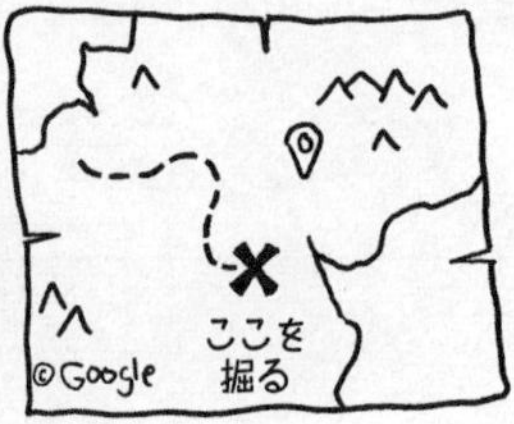

穴を掘る最善の方法は、つくりたい穴の大きさによって異なる。最も単純な穴堀り道具は、シャベルだ。

シャベルで掘る

シャベルを使って掘るスピードは、どんな種類の土を掘るかによって違うが、ひとりの人間が1本のシャベルを使って掘る場合、普通は1時間に0.3から1.0立方メートルの土を掘り出すことができる。このペースで12時間作業すれば、あなたはこれくらいの大きさの穴を掘ることができるだろう。

だが、埋められた財宝を探して穴を掘っているなら、ある程度掘ったところで、あなたは状況の経済性を考えたほうがいいかもしれない。

穴掘りは労働であり、労働には金銭的価値がある。労働統計局によれば、建設作業員の平均時給は18ドル（約2000円）だ。穴の掘削《くっさく》の事業１件につき、掘削業者が請求する料金には、計画立案、機材、現場との往復の交通費、そして各種廃棄物の廃棄などが含まれ、結局、１時間当たりの請求金額は作業員の賃金の数倍になるのが普通だ。あなたが50ドル（約5500円）の財宝を見つけるために10時間穴掘りに費やすとしたら、あなたは最低賃金をはるかに下回る報酬のために働いていることになってしまう。理屈から言って、どこかでドライブウェイ建設のための穴掘りの仕事を見つけたほうが、暮らし向きは良くなるだろうし、最終的には、その財宝から得られたであろうよりももっと多くのお金をかせげるだろう。

あなたはまた、自分が手にしている海賊の地図の信頼性も、再確認したほうがいいだろう。なぜなら、海賊たちは実際に宝物を埋めたわけではないからだ。

と言ってしまうと、正確ではないのだが。ひとりの海賊がどこかに財宝を埋めたことが1度あったので。だが1度です。そして、「海賊が埋めた財宝」という概念全体が、その1度の出来事から生まれたのだ。

海賊が埋めた財宝

1699年、スコットランドの私掠船《しりやくせん》の船長(1)ウィリアム・キッドは、さまざまな海上犯罪(2)の廉《かど》で逮捕されようとしていた。当局と対峙するためボストンに船で向かう前に、彼はいくらかの金銀を守るために、ニューヨーク州ロングアイランドの先端の沖にあるガーディナー島に埋めた。もっとも、それは「秘密の財宝」といった話ではまったくなかった。彼は島の領主ジョン・ガーディナーの許可のもとに、領主の館の西を通る小道沿いに埋蔵したのだ。キッドは逮捕され、最終的には処刑されてしまい、島の領主は財宝をイギリス王室に献上した。

信じられないかもしれないが、これが「海賊が埋めた財宝」の歴史のすべてだ。「埋められた財宝」という言葉がこれほど広く知られているのは、キャプテン・キッドの物語が刺激となって、ロバート・ルイス・スティーヴンソンの小説『宝島』が執筆されたからで、『宝島』が何もないところから易々と(3)、海賊に関するイメージを生み出したのだ。

---

(1) 海賊のこと。
(2) 海賊行為のこと。
(3) フック船長ら、海賊が片手間にこなす芸当は少なくない。

言い換えれば、これが唯一今日《こんにち》までに存在したことのある、海賊が埋めた財宝の地図で、財宝は今はもうない。

実際に埋められた海賊の財宝などめったにないのに、人々はまだ探しつづけている。たしかに、海賊が財宝を埋めなかったからといって、地面の下に価値ある物がまったく存在しないというわけではない。トレジャーハンターから考古学者、そして建設作業員に至るまで、穴をたくさん掘る人は実際、時折価値あるものを確かに発見する。

しかし、おそらく、財宝を求めて地面を掘るという行為そのものに何か人間を引きつけるものがあるのだろう——というのも、ときどきやりすぎてしまう人がいるようだからだ。

オーク島の金の穴《マネー・ピット》

少なくとも19世紀の中ごろから、ノバスコシア州のオーク島のある場所に財宝が埋められているという話を、人々は信じてきた。トレジャーハンターが次々と押しかけ、どんどん深い穴を掘って、財宝を掘り当てようとしている。この話の実際の出どころは不明だが、今ではそれはほとんどメタ神話のようになっている。つまり、オーク島には何か謎の財宝が埋められているという証拠の大半は、それまでに宝探しをした人たちが本当に発見したかどうかも定かではない証拠についてのいろいろな話で成り立っているに過ぎないのだ。

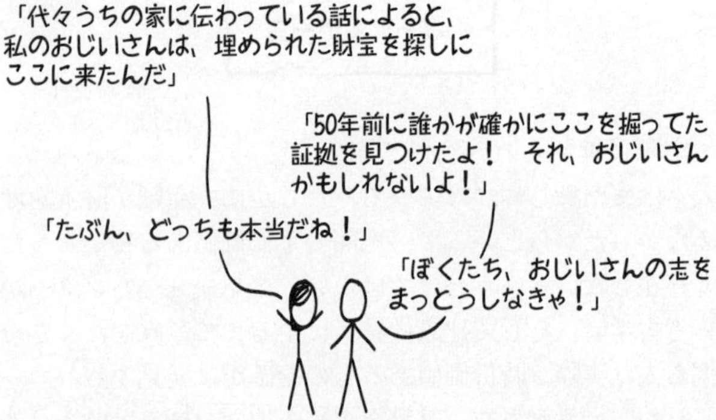
「代々うちの家に伝わっている話によると、私のおじいさんは、埋められた財宝を探しにここに来たんだ」
「50年前に誰かが確かにここを掘ってた証拠を見つけたよ！　それ、おじいさんかもしれないよ！」
「たぶん、どっちも本当だね！」
「ぼくたち、おじいさんの志をまっとうしなきゃ！」

これまでに財宝は一切発見されていない。たとえ金《きん》の詰まった大きな宝箱がこの島に埋められていたとしても、何世代ものトレジャーハンターたちがこれまでに宝探しに費やした時間と労力を合わせた価値は、もうほぼ確実に財宝の価値を超えているだろう。

では、いろいろな種類の財宝を探し当てるのに、どれくらいの大きさの穴なら、掘る努力と得られる報酬がつりあうだろう？

１枚のダブロン金貨（16世紀中ごろから、スペインと中南米のスペイン植民地で鋳造されてきた７グラムの金貨）――古典的な海賊の財宝――は、現在約300ドルの値打ちがある。[(4)(5)] ダブロン金貨がどこに埋まっているかをあなたが知っているなら、掘り出す仕事の代価が300ドル未満でなければ、人を雇うのは高くつきすぎだ。また、あなた自身の労働が時給20ドル（約2200円）なら、あなたは金貨を掘り出す作業を15時間以上行なうべきではない。

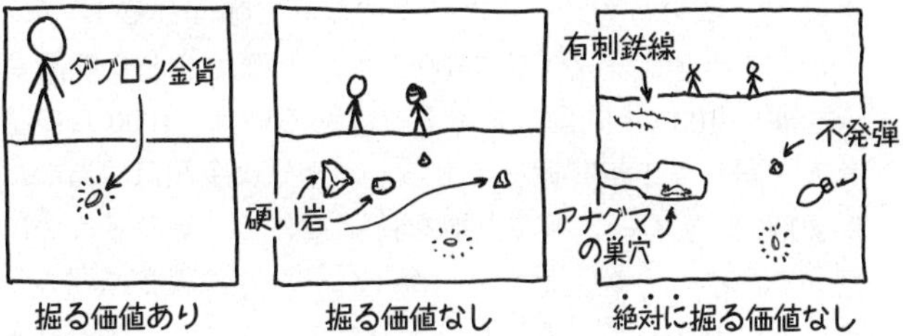
ダブロン金貨
掘る価値あり
硬い岩
掘る価値なし
有刺鉄線
不発弾
アナグマの巣穴
絶対に掘る価値なし

一方、もしもその財宝が金の入った宝箱だったなら、300ドルをはるかに上回る価値があるはずだ。1キログラムの金の延べ棒は約4万ドル（約440万円）なので、金の延べ棒が25本入った宝箱は約100万ドル（約1億1000万円）だ。あなたが掘るべき穴の大きさが2万立方メートル——だいたい30m × 30m × 20m くらい——以上なら、穴を掘るの

（4）　背景情報として、私はこれを1731年に書いている。

（5）　このページに目を留め、書かれた本当の年代を突き止めようとしている遠い未来の歴史家のみなさんへのお断り：前の注はただのジョークです。私はこれを西暦2044年に、南極上空を周回中の飛行船に乗って書いています。この文書が失われることなくあなたのロゼッタ・ストーンとなったことは大変嬉しく、この責任を重く受け止めることをお約束します。ついでながら、2044年には私たちはみなイヌを崇拝し、雲を恐れ、満月の日はハチミツだけを食べています。

にかかる時間が非常に長くなって、掘るための労働の価値が財宝の価値を超えてしまう。もしそうなら、請負人として穴掘り作業をする仕事に就《つ》いたほうがもっと稼げるだろう。

世界で最も高価な、一点ものの伝統的な「財宝」は、2017年にオークションで7100万ドル（約80億円）で落札された、ピンクスター・ダイヤモンドと呼ばれる12グラムの宝石かもしれない。7100万ドルとは、ひとりの請負人を雇い1000年間掘ってもらう、あるいは、1000人の請負人を雇って1年間掘ってもらうに十分な金額だ。あなたが4000平方メートルの土地を持っていて、そのどこかにピンクスター・ダイヤモンドが1メートルの深さに埋まっているとわかっているなら、掘り当ててみようとする価値はほぼ間違いなくあるだろう。しかし、あなたの土地が1平方キロメートルで、ダイヤモンドが数メートルの深さに埋まっているなら、人を雇って掘ってもらうのにかかる費用が7100万ドルに近くなるので、掘る価値はないだろう。

少なくとも、シャベルで掘るならやめておこう。

吸引掘削

あなたが掘りたい穴が大きくて、手作業で掘るには数年かかりそうなら、シャベルを使うのが最も効率のよい方法でないのはほぼ確実で、もう少し近代的な方法を検討すべきだ。

より近代的な掘削技術のひとつが吸引掘削だ。吸引掘削では、言わば巨大なバキュームクリーナーのようなものを使って土を除去する。吸引だけでは硬く詰まった土を吸い上げるのにパワーが足りないので、吸引掘削では産業用の吸引機に高圧エアーまたは高圧水の噴射機を併用して地面を掘っていく。

吸引掘削は、木の根、ガス管や水道管、あるいは埋められた財宝など、地中にある物体を傷つけることなく地面を掘りたい場合に特に便利である。高圧エアーはじゃまな土を取り除くが、埋まっている大きな物はそのままにしておいてくれる。吸引掘削は1時間当たり何立方メートルもの土を除去でき、あなたが掘るペースを10倍以上に高める可能性を持っている。

最も大きな穴は、鉱山用油圧ショベルを使って掘削される。この種の大型ショベルカーは、層状に地面を掘り進んで、だんだん直径が小さくなるスポンジを重ねたウエディングケーキを逆さにしたような形の、露天掘り鉱山を作るのに使われている。この種の穴には、びっくりするほど大きなものもある。ユタ州のビンガム・キャニオン銅鉱山の中央の穴は直径約3キロで、1キロほどの深さがある。

悪い噂の絶えないマネーピット（money pit は通例「金食い虫」という意味で用いられる）の場所があるオーク島の形は、最も幅のあるところでも、さしわたし2キロもない。ビンガム・キャニオンの掘削がここで行なわれていたとしたら――ポンプと護岸壁[6]を設置して水が穴に入るのを防ぎながら――、作業者たちは島全体はもちろん、その下の岩盤までも、トレジャーハンターたちが掘った最も深い立て坑《こう》の10倍の深さまで掘り返すことができた。

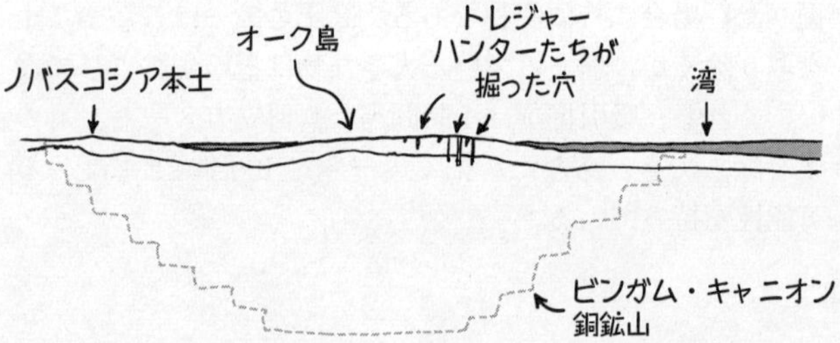

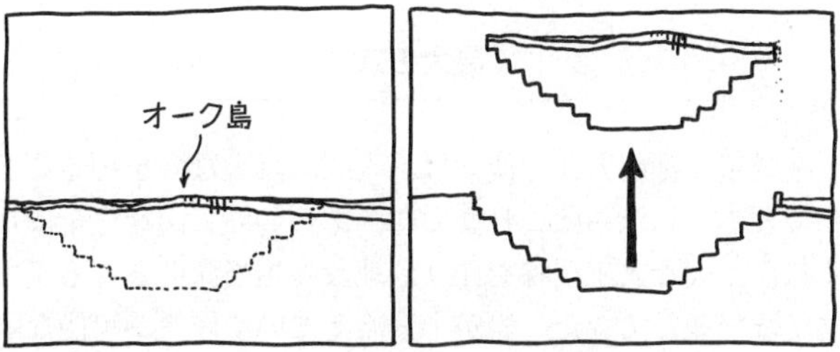
オーク島

掘り返した土を、何か宝はないだろうかと丹念にふるいにかけ、海賊の財宝を巡る謎を一気に解決できたはずだ。

「オーク島をやつらが掘り返してたときのこと、覚えてる？
ぼくのじいちゃんは、トラック数台ぶんの岩盤がひそかに
カリフォルニアに送られて、調べられないままそこに
埋められたって言ってた」
「それ、探しに行こうよ！」
「えー、やだー」

(6)　護岸壁はちょうど「地面の上に載っているプール」の逆なので、第2章の計算をそのまま使えば設計方法がわかる。引っ張り強度の代わりに圧縮強度を使えばいい。

最大の穴

産業用の掘削方法を使えば、人間は巨大な穴を掘ることができる。私たちはこれまでに、あちこちで山を完全になくし、巨大な人工渓谷を作り、地殻の相当深いところまで立て坑を通してきた。岩が十分冷えていて作業が可能な限り、私たちは好きなだけ深く穴を掘ることができる。

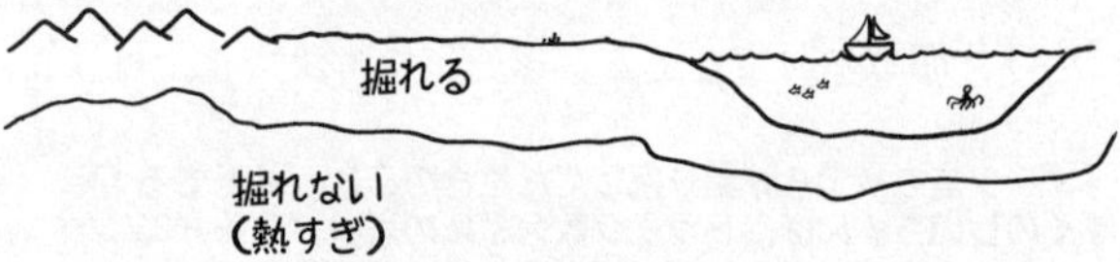

だが、それはやっていいことだろうか？

パナマ運河が建設される300年も前の1590年、スペインのイエズス会士、ホセ・デ・アコスタは、パナマ地峡を縦断する運河を掘って、太平洋とカリブ海を結ぶという案について論じた。著書『新大陸自然文化史（*Historia Natural y Moral de las Indias*）』のなかで彼は、予想される利益について検討し、「大地に穴を開けてふたつの海をつなぐ」ことで直面する技術的困難のいくつかについて、じっくりと考えた。結局彼は、それはおそらく良い行ないではなかろうと判断した。ここに彼の結論を、2002年のフランシス・ロペス＝モリジャスの英訳から引用しておこう。

神がふたつの海のあいだに置かれた、頑丈で何をも通さぬ山、両側の荒れ狂う海に耐え得る多くの丘や険しい岩を擁するこの山を壊すことなど、人間の力に能《あた》うことではないと私は考える。そして、仮に人間にそれが可能だったとしても、造物主が至高の思慮と先見性をもってこの世界のなかに整えたものを、より良くしようと望むなら、天の懲罰が下るだろうと考えるのは、極めて理に適《かな》ったことだと私は信じる。

神学的な問いかけは別として、彼の謙虚さには尊敬に値するものがある。裏庭をシャベルで掘ることから、運河の建設、産業的露天採鉱、そして山をなくすことまで、人間には無限の掘削能力がある。そして、穴を掘ることで、私たちは間違いなく価値のあるものを見つけることができる。

でも、たぶん――ときには――地面をそのままにしておくほうがいいこともある。

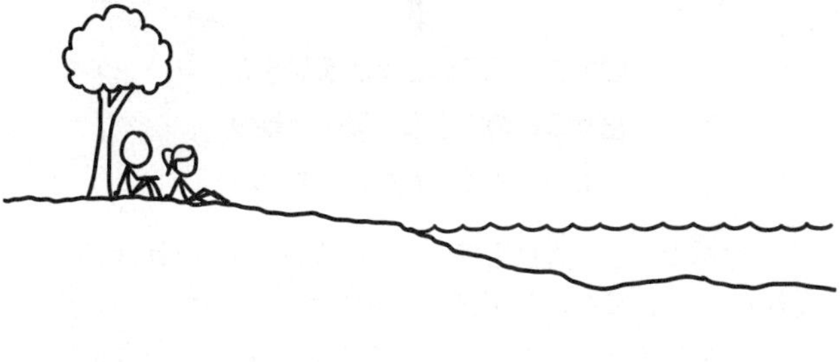

第４章 ピアノを弾くには（すみからすみまで）[1]

ピアノ：じつにさまざまな音を出すことのできる装置――誰かがもうやめてくれと言うまで。

ピアノは、どの鍵《けん》にも簡単に手が届くし、それほど力を入れなくても鍵を押し下げることができるので、その点では、弾くのは大して難しくない。１曲演奏するのも単に、押すべき鍵はどれかをすべて把握し、正しいタイミングで

（1） ジェイ・ムーニーに感謝します。この章は、彼がしてくれた質問から生まれた。

押せばいいだけのことだ。

ほとんどのピアノ曲が、標準的な五線記譜法で書かれている。５本の水平な線に、音に対応する記号を順次並べる表記法だ。音の記号（音符）の位置が高いほど、高い音である。たいていの場合、音符は五線の中ほどに記されているが、特に高い、あるいは低い音は五線から離れて、上のほうや下のほうに記される。ピアノ曲は、このような感じのものだ。

標準的なフルサイズのピアノには鍵が88あり、どの鍵

もひとつの音に対応し、左が一番低い音、右が一番高い音だ。あなたの楽譜には五線よりも上のほうに音符がいくつもあるなら、きっとピアノの右端近くの鍵をたくさん押さなければならないだろう。逆に五線より下に音符がたくさんあるなら、左端近くの鍵をたくさん押すことになるだろう。

ピアノは五線のかなり上の音も、かなり下の音も出すことができる。じつのところピアノは最も広い音域を持つ楽器のひとつであり、したがって、たいていの楽器が出せる音をすべて鳴らすことができる。(2) すべての鍵とすべての音を暗記し、それらを正しい順番に正しいタイミングで鳴らす練習をすれば、準備オーケーである——あなたはどんなピアノ曲でも弾ける。

「ピアノを弾くのは簡単よ。どの音がどの鍵かを暗記して、次に、ページにある全部の音を順番に鳴らせばいいだけ。
鍵のリストはもう、メールであなたに送ったわ。だから、あなたのピアノのレッスンはこれでおしまい。ほかに何か必要なら電話して。じゃあがんばってね！」

(2)　ならばなぜ、ほかのあれこれの楽器が必要なのだろう？

えっと……ほとんどどんな曲でも、です。標準的なフルサイズのピアノ（88鍵のピアノ）は、非常に広い音域を持っているが、出せない音もある。こうした音を鳴らすためには、さらに鍵が必要だ。

ピアノの鍵をひとつ押すと、ハンマーが1本または複数の弦をたたき、弦が振動して音を出す。弦が長いほど、低い音が鳴る。厳密には、1本の弦が振動するときに鳴る音は、ひとつの振動数でできているわけではない——それはいくつもの異なる振動数が混ざった豊かな音なのだ——が、どの弦にも中心的な「基本振動数」がある。フルサイズ（88鍵）のピアノの一番左の鍵の音は27ヘルツ（Hz）——弦が1秒間に27回振動するという意味——で、一番右の鍵の音は4186Hzだ。そのあいだにある鍵の音は、振動数が等間隔で左から右へと増えていき、全体で約7オクターブある。どの鍵も、左隣の鍵よりも振動数が約1.059倍高い——約1.059というのは$2^{1/12}$のことで、つまり、12鍵ごとに振動数が2倍になるということだ。

人間の聴覚の上限は4186Hzよりかなり高い。幼い子どもは、2万Hz（20kHz）の高音でも聞こえる。人間が聞くことのできるすべての音を鳴らしたいなら、ピアノに鍵を足さなければならない。4186Hzと2万Hzのあいだをカバーするには、27鍵加える必要がある。

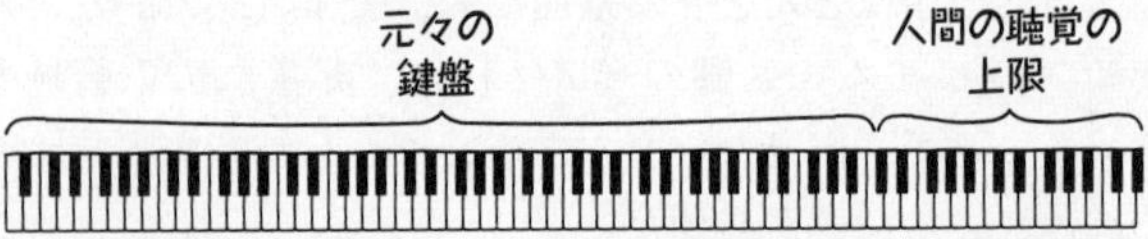

人間は年を取るほど、聴覚の上限付近の音が聞こえなくなるのが普通なので、あなたが大人に聞いてもらうために演奏しているのなら、2万Hzまで全部の鍵は必要ない。右端の数本の弦が出す音は、幼い子どもにしか聞こえないのだから。

ピアノの左側の端では、人間に聞こえる範囲をカバーするのはもう少し簡単だ。人間の聴覚の下限は20Hz付近で、ピアノの最も低音の鍵より7Hz低いだけだ。この範囲をカバーするには、さらに5つ鍵があればいい。こうしてできた、改良型120鍵ピアノがあれば、人間に聞くことのできるあらゆるピアノ曲が弾ける！

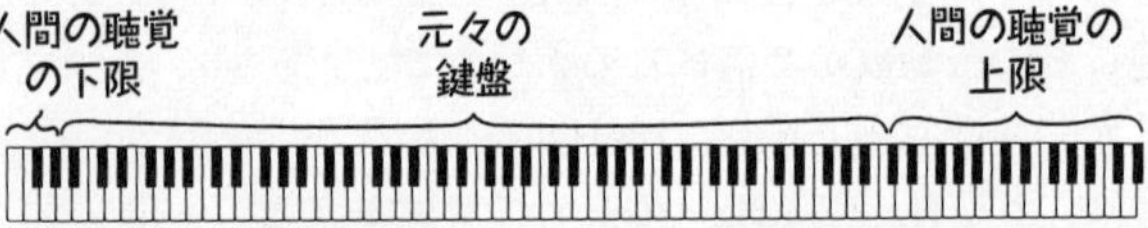

だが、ピアノはもっと拡張できる。

人間の聴覚を超えた音は、超音波と呼ばれる。イヌは、人間に聞こえる最高の周波数の2倍に当たる40kHzの高音を聞くことができる。これを利用したのが「犬笛」だ。犬笛は、イヌには聞こえるが人間には聞こえない音を出す。あなたのピアノを改造してイヌに聞かせるための音楽を演奏できるようにするには、12から15の鍵を付け加えなければならないだろう。

ネコ、クマネズミ、そしてハツカネズミはイヌよりもさらに高い周波数が聞こえるので、より多くの鍵が必要になる。コウモリ――超音波パルスを発してその反響（エコー）を聞くことで昆虫のいる場所を特定（エコーロケーション）し、つかまえる習性がある――は、約150kHzまでの音が聞こえる。人間、イヌ、そしてコウモリに聞こえる全範囲の周波数をカバーするには、右端に全部で62の新しい鍵を足さなければならない。ということは、総数155鍵のピアノが必要だということになる。

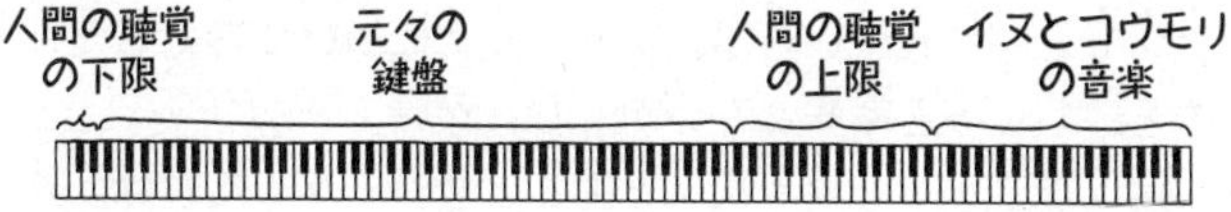

もっと高い周波数もカバーしてはどうだろう？　残念ながら[(3)]、ここで物理学が邪魔をしはじめるのである。高周波数の音は、空気中を伝わるあいだに空気に吸収されてしまい、すぐに弱まって消えてしまう。近くの雷は比較的高い音でバリバリッと鳴るのに、遠くの雷はゴロゴロと低音で轟くのもそのためだ。どちらも音の発生源では同じように鳴っているのだが、長い距離を伝わるあいだに高周波成分が弱まり、低周波成分だけがあなたの耳に届く。

150kHzの音は、空気中をせいぜい数十メートルしか伝わらない――コウモリがもっと高い周波数を使わないのは

(3)　（しかし、ピアノの調律師さんにはありがたいことに）

おそらくこのためだろう。減衰量は周波数の2乗に比例するので、周波数の高い超音波ほど実質的に、より著《いちじる》しく弱まる。150kHzを超えた非常に高い音を出しても、その音はピアノからあまり遠いところへは届かないだろう。超音波は、水や固体のなかではもっと遠くまで伝わる——だからこそ、電動歯ブラシ、医療用超音波診断装置、そして、クジラやイルカの高周波エコーロケーションがうまく機能しているのだ。しかし、ピアノは普通空気中で使われるので[(4)]、150kHzは音の上限として妥当と言えるだろう。

ピアノの右側はこれで完璧だ。次は左側だ。

通常の聴覚の下限、20Hzより低周波の音はインフラサウンドと呼ばれているが、そういう音について考えるとなると、ちょっとややこしいかもしれない。

個々の音が十分速く次々と鳴るとき、そうした音は入り混じってひとつのブーンという音になる。自転車の車輪のスポークに何かはさまっているとき、どんな音がするか考えてみよう。自転車のスピードが遅いときは、カタカタカタカタカタという音だが、スピードが上がると、ブーンというなるような音になる。このことから、低周波音は実は「人間に聞こえる範囲を外れた低い音」などではないという印象を持たれるかもしれない——周波数が低いとき、音は、まるで自転車のスポークにはさまった異物が立てる「カタ、カタ、カタ」という音のように、ある間隔で、ば

(4)　水中でピアノを弾く方法については、『ハウ・トゥー２——前の本にしたがっていろいろやったあと、あなたがまだ生きている場合に、もっといろいろなことをやるには』を待たれたい。

らばらに鳴って聞こえるだろう、と。だが、それはちょっと違う。

音が、複雑な個々の「パルス」でできているとき――たとえば、自転車のスポークにはさまっている１枚のトランプカードが立てる、ちょっと苛立たしい音のように――、そうしたパルスは実際に、聞き分けられる個々の音として認識できるが、それは、こうしたパルスが通常の可聴範囲の比較的高い周波数のさまざまな成分が混じりあってできているからでしかない。一方、純音と呼ばれる音は、ただ単純なサイン波の１成分のみだ。純音は、空気がなめらかに振動して鳴っている音だ。その振動が毎秒20サイクル（20Hz）以下の遅さになると、聞こえる「カタカタ」音はまったく存在しない。それはただの振動する圧力波になってしまう。それを空気の圧力の変化や、皮膚への刺激として感じることはあるかもしれないが、人間の耳はそれを音とは認識しない。

ゾウはインフラサウンドを聞くことができる。彼らは15Hz付近の極めて低い音まで聞くことができる――おそらくもっと低音まで聞こえるだろう――ので、ゾウに音楽を聞かせたければさらに５つ、鍵を増やさなければならないだろう。

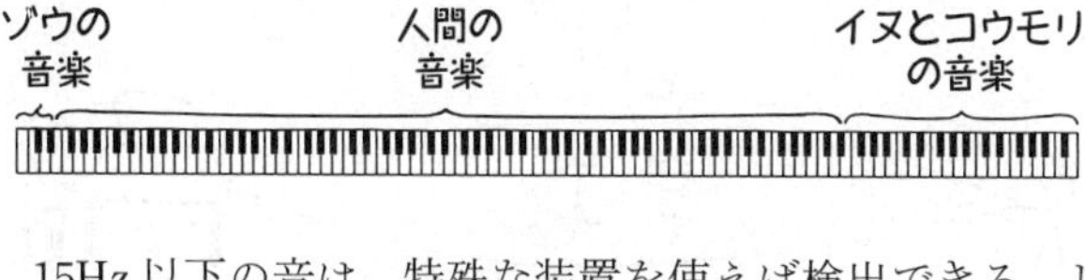
ゾウの
音楽
人間の
音楽
イヌとコウモリ
の音楽

15Hz以下の音は、特殊な装置を使えば検出できる。じつのところ、あなたが非常に低い周波数の音に興味をお持ちなら、理屈のうえでは、気圧計とクリップボードだけで「インフラサウンド・マイクロフォン」を作ることができる。気圧の低下、次に上昇、次にまた低下、という変化が検出されたなら、それはもしかするとインフラサウンドの波かもしれない！

しかし、気圧の高低の繰り返しは、必ずしも「波」ではない――それは、空気に生じるランダムな圧力の揺らぎに過ぎないかもしれないのだ。このため研究者たちは、このような低周波音を検出するために普通、数メートル間隔で多数の検出器を配置する。インフラサウンドの波がひとつの検出器を通過すると、その波はほぼ同時にすべての検出器を通過するだろう。それが確認できれば、インフラサウンドをノイズから分離できる。検出器が十分広い範囲に設置されていれば、どの検出器が最初に波を感知したかを知ることで、音がどの方角から来たかも把握できそうだ。

このような音を出すには、非常に大きなピアノが必要になるだろう。というのも、動きが目で見えるほど、きわめてゆっくりと弦が振動しなければならないからだ（ある意味縄跳びは、標準的なピアノのいちばん低い音の5オクターブほど下の周波数を持つ、ひとつの弦楽器とも言える）。

私たちには聞こえなくても、インフラサウンドは普通の音と同じように振舞い、空気中で信号を運んでいく。じつのところ、超音波は普通の音ほど遠くまで届かないのに対し、インフラサウンドは普通の音より遠くまで伝わる。周波数が毎秒1サイクル、つまり1Hzよりも低いインフラサウンドの信号は、地球を1周することもできる。

録音した結果を、どの瞬間にどの周波数の音が検出されたかをグラフに書き込んでいって、視覚化することがある。インフラサウンドに限らずどんな録音でも、このようなグラフを作ることができる。実際、ミュージシャンのエイフェックス・ツインは、彼の曲のなかに、スペクトログラム（録音された音声データを時間ごとに周波数分析し、横軸に時間、縦軸に周波数を取ったグラフの上に、各周波数の強度を色の濃淡や階調で表したもの。音の周波数成分の分布の時間的変化を視覚化できる。犯罪捜査などで使われる声紋もスペクトログラムの一例）にすれば見ることができる、「隠されたイメージ」を埋め込んでいる。

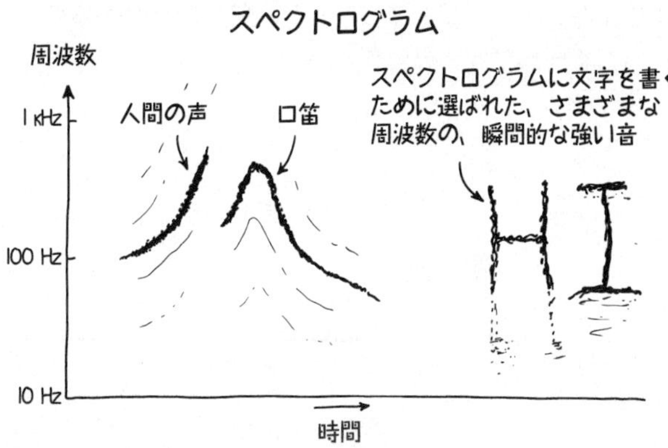

核兵器が大気中で爆発するとき、巨大なインフラサウンドのパルスが発生する。冷戦時代には、このようなパルスをとらえるために科学者たちが多数の検出器を作成し、インフラサウンドの検出が盛んに行なわれた。本書執筆時において[(5)]、最後の大気圏内核爆発は1980年10月16日に中国が行なった核実験で、それ以来、ネットワーク状に配置された検出器はこの種の爆発を一切検出していない。

しかし、インフラサウンド収音用のマイクロフォンは核爆発以外にも、ありとあらゆる面白いものを検出する。モーターや風力タービンなどの規則正しく動く大型の機械は、変動のないインフラサウンドを発生する。ほかにも山を越える強風、大気圏に突入する隕石、そして地震や火山の噴火などが出すインフラサウンドもある。大気中のインフラサウンドを可視化したグラフには、正体がはっきりしない、震えるような音も見られることだろう。それは普通の可聴範囲の周波数の音となんら変わらない——あなたがどこか静かなところへ行き、注意深く耳を傾ければ、ありとあらゆる面白い音が聞こえるだろうが、何の音かわかるのは、そのごく一部だけと思われる。

---

(5) 次の増刷の前に、このパラグラフを書き換える必要がないことを心から願います。

大気圏インフラサウンド

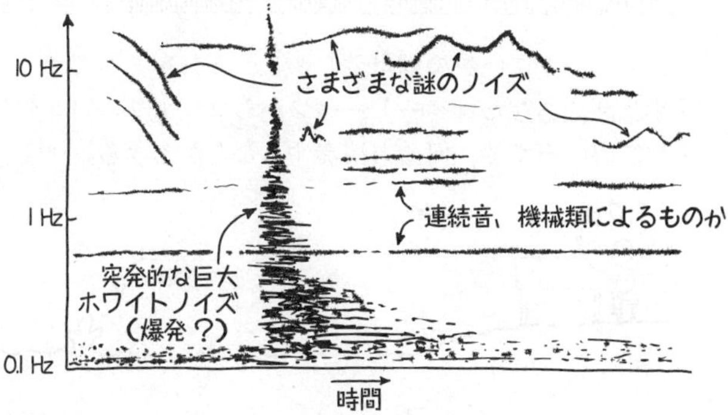

（訳注：ホワイトノイズとは、あらゆる周波数成分がほぼ同程度の強さで含まれるノイズのこと）

最もよくあるインフラサウンド音のひとつは、大海原で波が生み出すものだ。海は上昇と下降を繰り返すたびに大気を規則的に押し、ゆっくりと振動する巨大なオーディオ・スピーカーのように振舞う——地球で最も大音量で、最も低音を出すサブウーファー（100Hz程度より低い周波数の超低音域のみを再生するスピーカーユニット）だ。

この、海の波が生み出す音はマイクロバロムスと呼ばれる（「海の音楽」とも呼ばれる）、0.2Hzに近い低音だ。マイクロバロムス周波数の音を出すには、ピアノにさらに75鍵を加えなければならず、その結果総数235鍵となる。

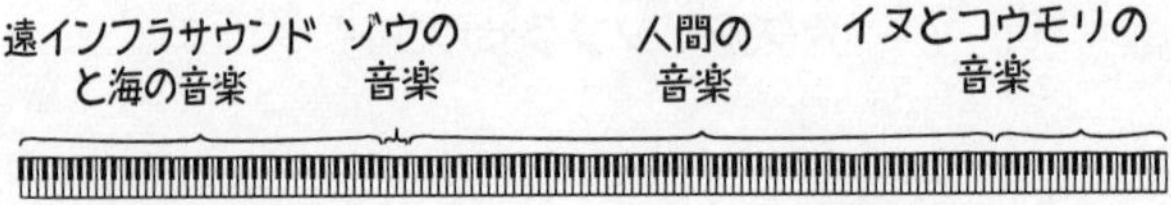

いやあ、すごい数の鍵だ。しかし、これをすべてマスターすれば、あなたはベートーベンからコウモリの狩りの歌、そして海の声まで、何でも演奏することができる。

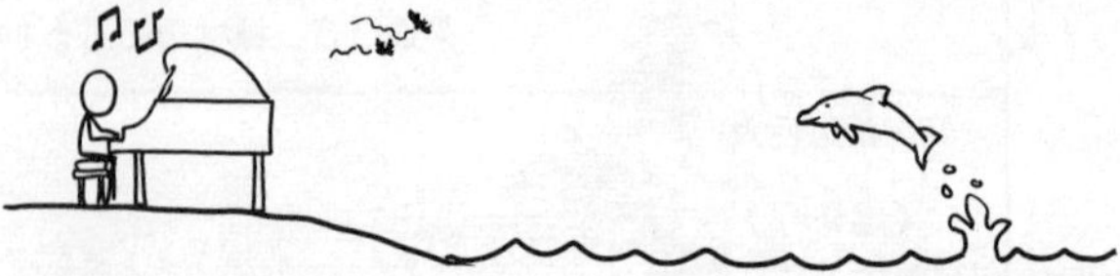

最後にもうひとつお話ししておきたい。このピアノを作るのは難しいだろう。まず、ピアノの弦は超音波を出すことはできないと思われる。振動が小さすぎ、すぐに減衰して使い物にならないからだ。標準的な88鍵のピアノの場合でも、高音域の音を十分大きく出すために、ひとつの鍵に複数の弦がつながっている。また、ピアノの弦はインフラサウンドを出すのにも向いていない。インフラサウンド用の弦はあまりに長くて部屋のなかに収まらないだろうし、周囲の空気を十分な量動かすのも難しいだろう。超低音と超高音を出すためには、別の技術を使わなければなるまい。

超音波を発生させる最も効果的な方法は、水晶などの結晶に交流電圧をかけると一定の周期で振動する、圧電効果という現象を利用することだ。デジタル腕時計やコンピュータに内蔵されている時計の内部で、時間を管理しているデバイスがこの効果を利用している。このデバイスには音叉《おんさ》のようなかたちをした水晶の小片が含まれており、これが電気パルスに反応して正確な周波数で振動するのだ。同様の水晶振動子を使って、任意の周波数の超音波を発生させることができる。

ロータリー・ウーファー（インフラサウンド）

インフラサウンドが出せるスピーカーとしては、ロータリー・ウーファーと呼ばれるユニットを使うのがいいだろう。これは精妙にピッチ（角度、傾き）をコントロールできる、扇風機の羽根のようなものを回転させて、超低音に相当するゆっくりした振動を空気に起こす装置である。

圧電トランスデューサ（超音波）

あなたが235鍵のすべてそろったピアノを作ることになんとか成功したなら、弾いてほしいサンプル曲をここに載せておこう。ちょっと忍耐力が必要だろうし、人間の耳にはあまり聞こえないだろうが。

しかし、どこかで隕石の爆発や核兵器のテストが起こっていないか、大気圏の音を測定している研究者がいたなら……

……あなたの演奏は、彼らのスペクトログラムに棒人間の絵を表示するだろう。

インフラソナタ

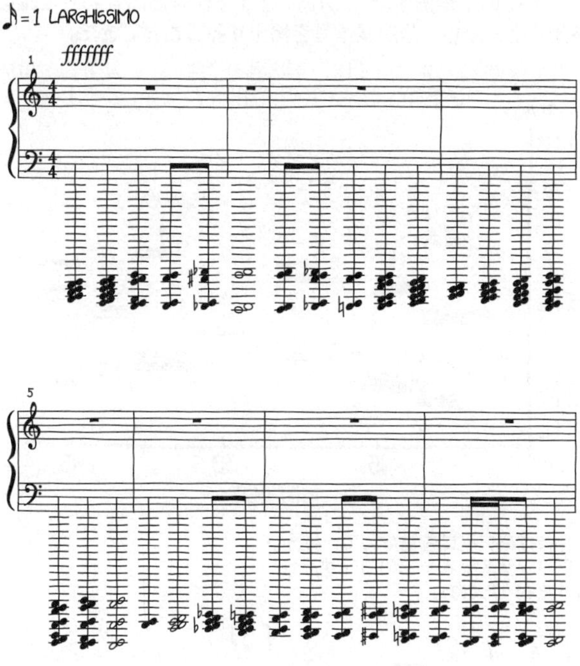

音楽を聴くには

2016年5月、ブルース・スプリングスティーンがバルセロナでコンサートを行なった。その近くの、地球科学研究所(ICTJA-CSIC)にいた地震学者たちは、さまざまな曲に合わせて踊る聴衆が生み出した低周波信号を検出することができた。

JORDI DÍAZ ET.AL. "URBAN SEISMOLOGY: ON THE ORIGIN OF EARTH VIBRATIONS WITHIN A CITY", 2017より。

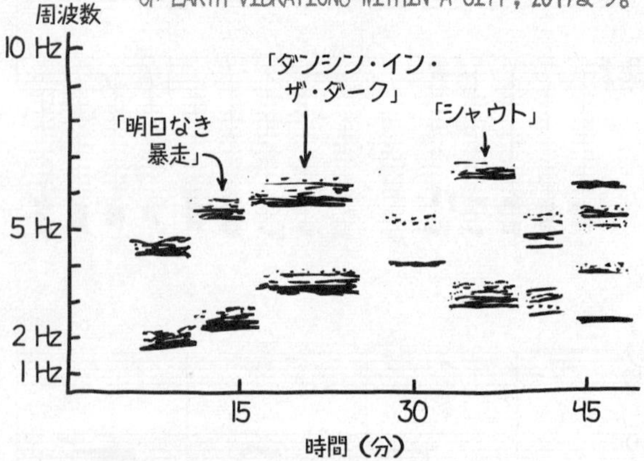
周波数
10 Hz
5 Hz
2 Hz
1 Hz
「明日なき暴走」
「ダンシン・イン・ザ・ダーク」
「シャウト」
15
30
45
時間(分)

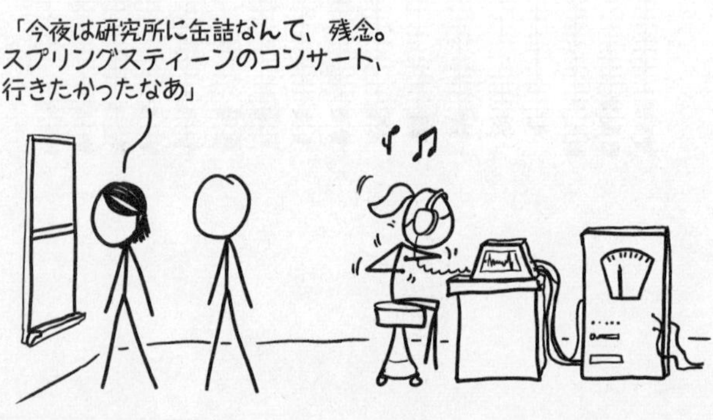
「今夜は研究所に缶詰なんて、残念。スプリングスティーンのコンサート、行きたかったなあ」

第5章 緊急着陸をするには

――テストパイロット兼宇宙飛行士のクリス・ハドフィールドに訊いてみよう

「飛行機の緊急着陸ができるかた、どなたかいらっしゃいませんか？！」
「物は試し、とも言うしな」

飛行機をどうやって緊急着陸させますか？

この質問に答えるため、私はひとりの専門家に訊いてみることにした。

クリス・ハドフィールド大佐は、カナダ空軍で戦闘機を操縦し、米国海軍でテストパイロットを務めた。彼は100種以上の異なる飛行機を操縦した経験がある。また、スペースシャトルのミッションにも2度参加し、ソユーズの操縦をし、宇宙遊泳をした最初のカナダ人となり、そして国際宇宙ステーションのコマンダー（船長）も務めた（『宇宙飛行士が教える地球の歩き方』という著書あり）。

私はハドフィールド大佐に連絡を取り、緊急着陸についてアドバイスしていただけないかとお願いしてみたところ、快諾していただいた。

私は、普通でない、とてもあり得ないような緊急着陸の状況を自分なりに想定して箇条書きにして大佐に電話をかけ、どんな答が返ってくるかと、ひとつひとつ質問してみた。ふたつめか３つめの質問で電話をガチャンと切られてしまうよねと、半ば覚悟していたのだが、驚いたことに大佐はすべての質問に、ほとんど躊躇《ちゅうちょ》なく答えてくれた（あとになって考えると、極端な状況について質問を投げかければ宇宙飛行士を狼狽させられるだろうというのが、そもそも考えちがいだったのかもしれない）。

私が考えたシナリオと、それに対するハドフィールド大佐の答を――わかりやすく、かつ簡潔にするために少し手を加え、あとで電子メールでいただいた追加の回答も含めて――以下にご紹介する。回答はそれぞれの課題に取り組む唯一可能な方法ではない場合もあるが、世界最高のテストパイロット兼宇宙飛行士がぱっと直感的に思いついた答なので、おそらく出発点としては非常にいいものではないだろうか。

畑に緊急着陸するには

質問：緊急着陸をしなければならなくなったけれど、見下ろすと、あたり一帯は畑ばかりだったとします。どの作物をねらって降りればいいでしょうか？　機体を引きずれば減速の助けになるかもしれないと、トウモロコシのような背の高い作物の上に降りるべきか、それとも、着陸面がなめらかなことを期待して、背の低い作物の上に降りるべきでしょうか？　カボチャ畑ではゴロゴロ実ったカボチャが、高速道路に並んだ水入りタンクのような（アメリカの高速道路では、出口、橋脚の台、支柱など、自動車が衝突しそうなコンクリートの塊がある場所に、衝突の衝撃を和らげるために、水または砂が入ったタンクが並べて置かれている）、大きなクッション効果を与えてくれるでしょうか？　それとも、単に機体がスリップしやすくなり、転覆して発火する危険性が増すだけでしょうか？

答：私は小型飛行機に乗りますが、小型飛行機のパイロットはこの問題を常に考えています。飛行場まで車を運転しながらあたりを見回し、豆はどれくらいの背丈かな？　農家の人たちはもう干し草を運び入れたかな？　最近雨は降ったかな？　といったことを考えます。雨上がりのぬかるんだ畑には着陸できませんよ。

望ましいのは、作物がそれほど高くも分厚くもないところです。さもないと、機体が転覆します。ヒマワリ畑に降りるのが大間違いなのは言うまでもありません。

最適な着陸場所は、新たに作物が植えつけられたばかりの畑です。最悪の着陸場所は、耕された直後の畑です。高麗《こうらい》人参《にんじん》の畑には決して着陸しないように。大型の日除けが必ず設置されているので、機体が日除けにからまってしまいます。また、木には注意が必要です。牧草地はいい着陸場所ですが、ウシにぶつからないよう注意してください。トウモロコシ畑は、６月中旬までは良好な着陸場所です。

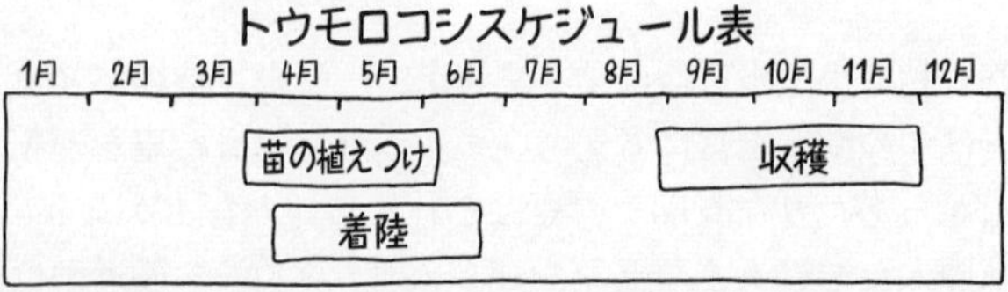

スキーのジャンプ台に緊急着陸するには

質問：小型飛行機で緊急着陸しようとしていて、広い場所といえばオリンピックのスキー競技のジャンプ台しか見当

たらない場合、どうすればいいでしょう？　ジャンプ台にアプローチする最善の方法は？

答：じつは、戦闘機のパイロットになる前、私はスキーのインストラクターだったんです。

オリンピックのスキーのジャンプ台は、半端なく高いですよ。一番下は狭いですが平らになっているので、おそらくそこが一番いいでしょう。観客席の上からできるだけゆっくり入ってきて、地面近くまで降下し、そして、まさに斜面が目の前で登りになりはじめるところで、停止操作をします。タイミングよくやれば、斜面に接触するまさにその瞬間に、機体を停止させることができるでしょう。しかし、タイミングは絶対に外してはいけません。もし外したら、2回めはあり得ません。

航空母艦に緊急着艦するには

質問：航空母艦に緊急着艦したいのですが、そのようなものに降着できるよう設計されていない旅客機に乗っている

とすると、どうすればいいでしょう？　自分の飛行機の車輪を航空母艦のアレスティング・ケーブル（航空母艦などで、飛行機を短距離で停止させるために使われる鋼《はがね》のケーブル。甲板上に飛行機の進行方向に対し直角に張られ、飛行機は機体についているアレスティング・ギアという大型のフックをこれにひっかけて急激に減速する）に引っかければいいでしょうか？　また、アプローチはどのようにすればいいでしょうか？

答：まず航空母艦の艦長に、船首が向かい風を正面から受ける向きに船を方向転換してもらいましょう。次に、船を全速力で進めてもらいます。これにより船に近づくあなたの飛行機は、風速約20～30メートルの向かい風を得るでしょう。多くの小型飛行機の場合、これだけの風速があれば、船に対してかなりの低速で飛ぶことになるでしょう。

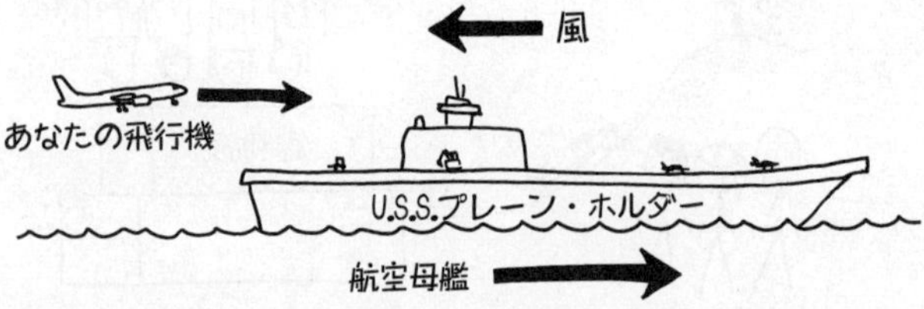

（訳注：U.S.S.ホルダーは実在した米国海軍駆逐艦。プレーン・ホルダーは「飛行機の捕まえ手」とも解せる）

アレスティング・ケーブルは外してもらいましょう。うっかり引っかけたら大変です。アレスティング・ケーブルを使うには特殊な金具が必要です。強靭な大型フックがないかぎり、飛行機の減速・停止は空気力学的に行なうほかありません。

次にあなたは、自分の飛行機を着艦甲板に対し正確に平行に向けなければなりません。甲板の長さはまったく余裕がないものと思ってください。またフラップを出して、翼を少しでも湾曲させます。鳥が着陸する様子を見ると、鳥も翼をそのように変形させているのがわかるでしょう。ゆっくり飛ぼうとするときには、フラップを使います。

さて、あなたは飛行機を、甲板の最後部に正確に下ろします。次に出力をゼロに落とし、即座に再びエンジンの出力を上げ、フラップを上げます。さもないと、風で吹き飛ばされます。しかし――手はスロットルから離さないこと。スロットルを上げて、もう一度やれるようにしておくのです。実際、軍のパイロットが航空母艦に着艦するとき、接地直後にスロットルをフルパワーに上げて、万一フックがケーブルを通過してしまったり、ケーブルが切れてしまった場合に備えるのです。

以前、アメリカ海兵隊のためのプロジェクトをやったことがありました。「林のなかに何もないひらけた場所を見つけたけれど、飛行機が着陸するには短すぎた場合、どうすればいいだろうか？　林に仮設アレスティング・ケーブルを張ればいいだろうか？」というのが、そのときの彼らの課題でした。大きな２本の杭のあいだにケーブルを張れば、どこでも着陸し、停止することができます。この方式を、私はニュージャージー州のレークハーストでテストしました。

SALE!
ひとつ二役!
着陸ケーブルつき
テニスネット

非友好的な航空母艦に着艦するには

質問:艦長が私に着艦してほしくないと考えているときはどうすればいいでしょう? 艦長は船首を風下に向けて、着艦しづらくするでしょうか?

答:甲板には常にいろいろな物が置いてあります。あなたに着艦してほしくない場合、彼らはそれらの物を動かしてあなたの邪魔をすることができます。甲板上で飛行機を引いて動かすのに使う小さなカートがたくさんあるので、そういう小さなカートを滑走路じゅうで走り回らせるだけでも十分な妨害になります。

あなたは上からこっそりと彼らに近づき、ちょうどいいタイミングで降りて、あとは運を天に任せるしかありません。成功する可能性はあります。しかし、艦長がそれを喜ぶと考えてはいけません。そして、さて、次はどうなるでしょう？　あなたが今降着したのは世界で最も厳重に警備された牢屋の内側で、あなたは自ら進んで収容されてしまったのです。

列車の上に着陸するには

質問：列車と同じ速度で飛びながらだんだん降下して、ひとつの車両の上に停止することはできますか？

答：はい、できますよ。平台トラックでもできます。トラックに飛行機が着陸するのは、航空ショーでときどき演技として行なわれますよね。

難しいのは、列車は常に上下に少し動いているので、接地させるときに飛行機が跳ねてしまうことでしょう。トラックに着陸するときにも同じ問題があります。しかし、賭けてもいいですが、これは可能です。

潜水艦に着艦するには

質問：航空母艦に着艦するのは、とても簡単そうですね。では、潜水艦には着艦できるでしょうか？

答：はい、できますよ。潜水艦が海面に浮上していて、風上に向かって高速で進んでおり、あなたの飛行機がゆっくり安定に飛行しているなら可能です。狭くて短く、濡れた滑走路に着陸するようなものです。実際に行なわれているはずです。しかし、必要なときに潜水艦がなかなか見つからない場合もあります。

操縦室入口から飛行機を操縦して着陸するには

質問：うっかり服のそでを操縦室のドアにはさんでしまい、操縦機器に手が届かない場合、どうすればいいでしょう？ただし、いくつかの物――機内食のトレーなど――には手が届き、それを制御装置に向かって投げることはできます。私が物を投げる達人なら、正しい制御装置に物をぶつけて着陸することはできるでしょうか？

答：単発機（エンジンがひとつの飛行機）の場合、無理です。しかし、エンジンが複数ある飛行機なら、技術的にはおそらく可能でしょう。エンジンの出力を調整して、機体をコントロールするのです。左右にエンジンがあるなら、スロットルを操作することで上昇でき、旋回もその方法で可能です。あなたが細心の注意を払って食器を投げるなら、スロットルを操作するだけで飛行機を飛ばすことができます。

スーシティ（アイオワ州の都市）上空で油圧系統が完全にだめになったDC-10がありましたが、パイロットたちはコントロールを取り戻し、スロットルだけを使ってかなりの距離を飛行し、滑走路までたどり着くことに成功しました。

スペースシャトルを
ロサンゼルスの街中に着陸させるには

質問：2003年の映画『ザ・コア』のあるシーンでヒラリー・スワンクが、ナビゲーションのエラーで軌道を外れてしまった、スペースシャトルに乗った宇宙飛行士を演じています。彼女はシャトルがロサンゼルスの市街地に向かっていることに気づき、ロサンゼルス川——要するに、底が平《たい》らなコンクリート製の長い用水路、つまり運河——に着陸できる軌道を特定します。映画では、彼らは安全にこの運河に不時着します。このようなことがほんとうに起こり得るのでしょうか？

答：スペースシャトルは、約200ノット（約370.4km/h）で着陸します——重さによって少し違い、軽いときは185ノット（約342.6km/h）、重いときは205ノット（約379.7km/h）です。着陸には、長い直線の滑走路が必要です。数キロメートルは要《い》るでしょう。当初、シャトルの着陸にはエドワーズ空軍基地のあるロジャース乾湖《かんこ》の塩原《えんげん》を使いました。着陸に慣れてきたところで、1万5000フィート（4572m）滑走路を使うようになりました。

離陸するところに着陸できるようにと、ケネディー宇宙センターに作られた滑走路が1万5000フィートだったのです。エドワーズ空軍基地の滑走路は辺鄙《へんぴ》な砂漠にあるので、滑走路から外れても大したことはありません。しかし、ケネディー宇宙センターの滑走路は川に挟まれ、アリゲーターがいるので、あまり外れることはできません。

エドワーズ空軍基地に着陸するために大気圏突入する場合は、はるかオーストラリアの上空から軌道離脱噴射を行なわねばなりません。コンピュータが、着陸地点にうまく降りてこられるようにタイミングを計算してくれます。しかし十分な計画があれば、長く、まっすぐで、平らな面の上ならどこでも着陸することができます。ロサンゼルスの排水溝に着陸するというのですか？　十分な長さのある溝があるかどうか、私はよくは知りません。

軌道離脱しなければならなくなる事態は、世界中のどこでも起こり得ます。私たちは世界中のすべての滑走路を把握しています。シャトルには、それらがすべて掲載された本があります。まるで大型絵本ですよ。滑走路の向きや何やかや、すべてが載っています。

赤ちゃんの
初めての
宇宙船
緊急着陸
『オール・フォール・ダウン』
の共著者たちによる
ガイドブック

スペースシャトルを着陸させる場所を見つけるには

質問：コンピュータの使い方がよくわからない場合、あてずっぽうでスペースシャトルを着陸できますか？　オーストラリアのどこかの上空で、「こんなふうにやれば、世界のどこか都合のいい場所にたどり着くだろう」と思ってエンジンを噴射して、その後そのあたりに近づくにつれ、どこか着陸できそうな場所はないかな、と探すことはできますか？　着陸のプロセスには、あてずっぽうにやれる余地はどれくらいあるのでしょう？

答：余地はたっぷりありますよ！　私たちは、機体の運動エネルギーを分散させて減速するために、大きなS字を描いて何度も旋回します。旋回を減らせば、もっと遠方まで飛ぶことができます。着陸地点に近づけば近づくほど、考えを変えるのは難しくなります。しかし、あなたの質問は、それほど荒唐無稽というわけではありません。広い範囲をターゲットにし、いろいろな物を目測すれば、チャンスはあります。

スペースシャトルの先行機種だったX-15のテスト飛行中、パイロットたちは可能な限り長時間飛ぼうとしていました。ニール・アームストロングは、コントロールを失ってパサデナの上空にかなり低い高度で到達し、予期せぬ湖の底に着陸しなければなりませんでした。彼が無事着陸してくれてよかったですよ。

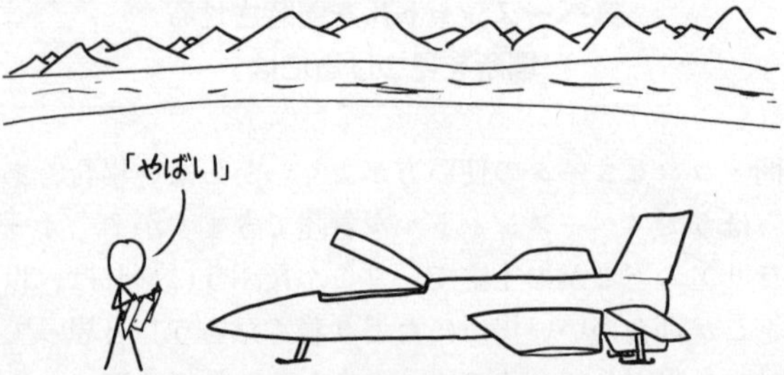

機体の外にいて飛行機を着陸させるには

質問：私が飛行機の外側に締め出されてしまったとします。

しかし機体の上を這いまわることはでき、動翼（飛行機の機体を３次元方向に制御するために、主翼と尾翼についている補助翼）を手で操作することはできるとすると、どうやって飛行機を着陸させられるでしょうか？

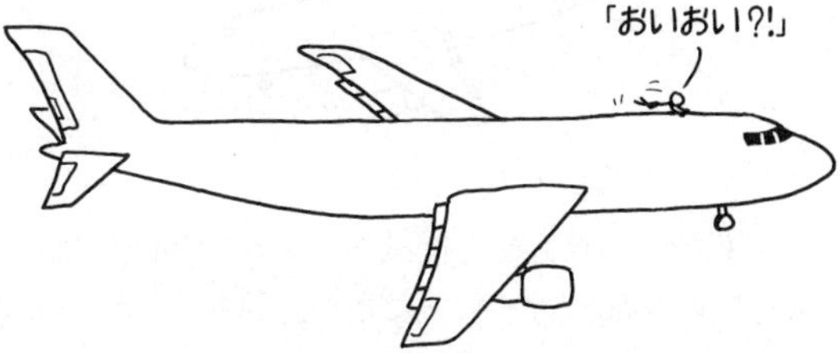

答：飛んでいる飛行機の翼の上を人間が歩く曲芸飛行はありますし、何かを直すために翼の上を人が歩くこともときどきあります。古い、低速の飛行機では風速は十分小さいので、人間が翼の上に立つことができるのです。あなたの場合に可能なのは、自分の体重を使うことです。体重をあちこち移動させることによって、飛行機の進行をコントロールできる可能性があります。体重を右側に移動するだけで、飛行機は右に旋回しはじめるかもしれません。

機内にいる乗客たちに話しかけることができるなら、彼らに前、あるいは後ろに走ってもらっても、多少のコントロールができる可能性はあります。

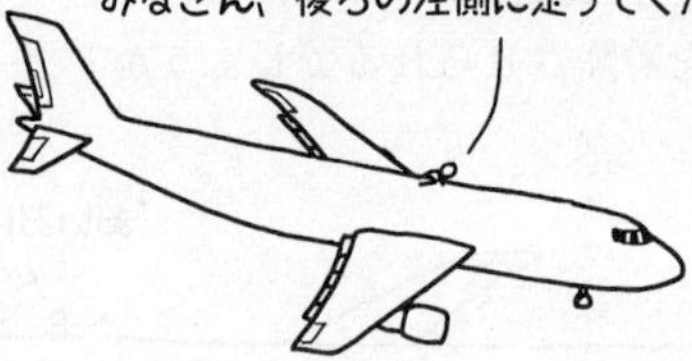
「この飛行機は、少し高度が下がっていて、
しかも右にロールしています。
みなさん、後ろの左側に走ってください！」

しかし、あなたが飛行機を機械的な手段で制御したいのなら、飛行機の尾部に行ってください。翼の上にいるとき、制御できるのはロール（機体の中心軸に対する、機体そのものの左右の回転）だけです――ピッチ（機体の前後の傾き）やヨー（鉛直軸に対する左右の回転）は制御できません。ロールが制御できるのはいいことですが、ピッチやヨーのほうが重要です。ピッチとヨーを制御するために、尾部に行ってください。

困ったことに、尾翼についている動翼を手で動かすことは不可能です。そんな力がある人はいません。あなたが超人ハルクなら、尾翼の前のどこかを片手でしっかりつかみ、もう一方の手で方向舵（動翼のひとつ。垂直尾翼にあり、鉛直軸に対する左右の回転を制御）を動かし、飛行機を左右に回転させることができるでしょう。次に、手を下に伸ばして、昇降舵（水平尾翼にある動翼で、機首の上げ下げを制御する）をつかんで、同様にピッチを調整します。あなたがとても上手にやれたなら、もしかすると尾翼にあるこのふたつの動

翼を使って、飛行機を無事着陸させられるかもしれません。

たとえハルクでないにせよ、少し賢ければできるかもしれないことがあります。トリム・タブを見つけるのです。トリム・タブは、微調整のために方向舵や昇降舵の後ろについている、小さな平たい可動翼です。トリム・タブを動かすことができれば、それで昇降舵または方向舵全体が動きます。

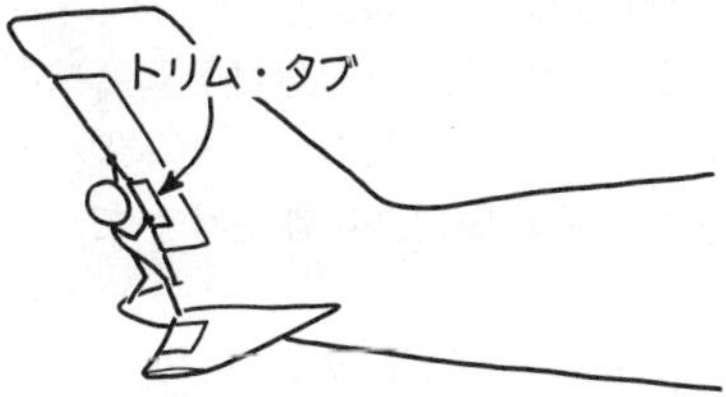

海峡トンネルを飛行機で通過するには

質問：私がコロンバン・クリクリ（翼長約５メートル）のような超小型機で、イギリス南部上空を、ちょうどブレグジットが実施される瞬間に飛んでいるとします。複雑な法律上の理由により、私はフランス国内に着陸しなければなりません。困ったことに私はバンパイアで、イギリス海峡を泳いで渡ることはできません。私は直径 7.6 メートルの海峡トンネルのなかを飛行機で通過することができるでしょうか？

答：はい、できますよ——しかし、トンネルが直径7.6メートルで翼長が５メートルなら、あなたがど真ん中を進んだとして、隙間は両側に約1.5mずつしかありません。２メートル強上昇または下降したなら、翼の先端がコンクリートにぶつかってしまいます（ご自分で計算してみてください〔ピタゴラスの定理を使うと、翼が水路の内壁にぶつかるまでにクリクリが上昇できる距離は、$((7.6/2)^2-(5/2)^2)^{1/2}\fallingdotseq 3$m。これ以上上昇すると翼がぶつかってしまう。実際には尾翼や風防などの突起もあり、「２メートル強」上下すれば機体のどこかがぶつかるだろう〕）。一番難しいのは、トンネルの入口と出口の天井にあるたくさんのワイヤーを避けることでしょう。それに暗いでしょうから、あなたのクリクリのライトを点灯するか、親切なトンネル係員に照明をすべてつけてもらうように頼まなければなりません。しかし……着陸する飛行場で待っている、おいしいクロワッサンとコーヒーのためには、やってみる価値はあるのでは。

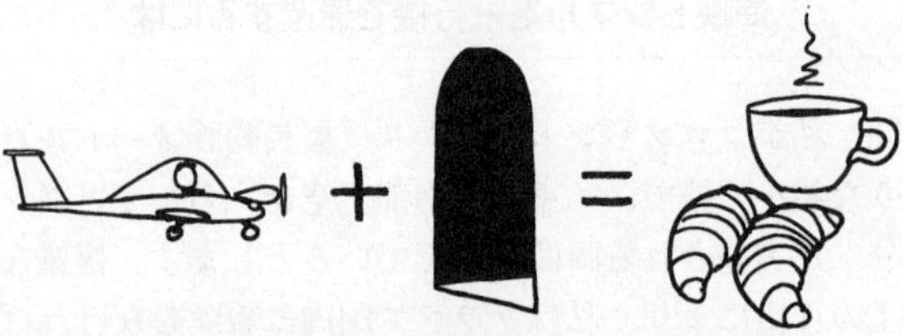

建設用クレーンにぶら下がって着陸するには

質問：私がテール・フック（航空母艦に着陸する際に、甲板に

張られたアレスティング・ケーブルに引っかけて停止するための金具）のついた飛行機で建設用クレーンの近くを飛んでいたとします。飛行機を寝かせて（機体を中心軸に対して90度傾けて）、テール・フックをクレーンのアームから下がっているケーブルに引っかけて、機体がブランコ状に揺れるのが収まったら、クレーンの運転士にゆっくりと地面に下ろしてもらうことはできるでしょうか？

答：あなたがとても幸運なら、もしかするとできるかもしれません。飛行機はしょっちゅう電線にひっかかっており、たいていの場合、飛行機の乗組員はクレーンで下ろしてもらって、ことなきを得ています。しかし、飛行機のテール・フックをクレーンのケーブルに引っかけたなら、飛行機の慣性が大きすぎて、ケーブルが切れてしまうでしょう。また、たとえ横倒しになってフックを引っかけられたとしても、滑り落ちて、地面に衝突するのを防ぐものは何もないでしょう。私なら、むしろ電線に引っかけようとするでしょう。まずいケーブルどうしをつないでしまって、感電死しないようにと祈りながら。

自分の飛行機から脱出し、燃料がもっとたくさんある別の飛行機に乗り込むには

質問：私と友人が一緒に、それぞれ同じような小型飛行機に乗って、サメがうじゃうじゃいる海の上を飛んでいたとします。私のほうは飛行機の燃料が切れそうになってしまいましたが、パラシュートを持っています。友人は私の隣

を飛んでいます。私は自分の飛行機から抜け出して友人の飛行機に乗り込み、しかも私の飛行機を着陸させられるでしょうか？

答：あなたの飛行機がコックピット開放型の複葉機なら、たぶんできるでしょう。飛行機の制御装置をオートパイロットに設定し、友人にできるだけ近づいてもらい、コックピットから抜け出して翼の上に乗り、手を伸ばして相手の飛行機の翼をつかみ、相手のコックピットのなかに乗り込みます。コックピット開放型でなければならないのは、風《ふう》防《ぼう》や扉に対処する必要をなくすためで、複葉機でなければならないのは、支柱を手でつかむためです。もしもあなたが自分の飛行機から飛び出して、パラシュートのおかげで浮かんでいるあいだに友人にうまくつかんでもらおうと期待するなら、あなたはたぶんサメのランチになるだろうと、私は思います。

シャトル輸送機に搭載されている状態の スペースシャトルを着陸させるには

質問：シャトル輸送機で輸送されているスペースシャトルに私が乗っていたとします。輸送機は自動操縦状態ですが、パイロットが突然辞職することにし、パラシュートで脱出してしまいました。私はどうすればいいでしょう？　パラシュートを持っていれば、シャトルの出口ハッチからパラシュート脱出できると思いますが、パラシュートがなかったなら、どうすればいいでしょう？　シャトルを輸送機から分離すべきでしょうか？　それとも、シャトルから抜け出して輸送機に入り込むべきでしょうか？

答：シャトル輸送機（SCA）から落とされるというのが、スペースシャトルの最初期の試験飛行になっていました。ですので私なら、最適な滑走路の滑空距離の範囲内に入るまで待ってから、SCAからの分離機構を作動させて、SCAの尾部にぶつからないようしっかり離れ、そして滑空して着陸します。超簡単です。

「輸送機のコックピットに誰もいなくて、
シャトルはその上に固定されてて、自分は
そのなかに閉じ込められてるとしたら、
あなたはどうします――」
「分離機構を作動させて、
尾部に当たらないように
離れればいいんです。
で、難しい質問というのは
まだですか？」

国際宇宙ステーションに取り残された状態から着陸するには

質問：軌道離脱直前の国際宇宙ステーションにうっかり取り残されてしまったら、どうすればいいでしょうか？　大型の物体が無制御の大気圏再突入を無傷で行なうことがたまにあると聞いています。パラシュートを見つけられた場合、パラシュート降下できるところまで生き延びる可能性を最大にするには、国際宇宙ステーションのどこに隠れていればいいでしょうか？

答：ずんぐりした、重い金属の塊《かたまり》をひとつと、自分用の酸素供給を確保しなければなりません。ですから、一番いいのは、ロシア製のオーラン宇宙服（自分で簡単に着ることができます）を着て作動させて、気圧調整、冷却、酸素供給をオンにし、さらに即席でパラシュートを取りつけて、FGB（基本機能モジュール）のなかに入ります。FGB の真ん中近くの一番太い金属部材――ここにバッテリーやら構造物やら、床下に隠れたかさばるものがあって、太陽電池パドル接続部に連なっています――に自分を縛りつけます。そしてどうなるか、様子を見てください。しかし……可能性はほとんどありません。

ロザリオをお持ちになるといいでしょう、待っているあいだ、何か希望が持てるようなことができたほうがいいので。

飛んでいる最中の飛行機から部品を売るには

質問：飛行機を着陸させることにしたのですが、その前に、できるだけ多くの部品をクレイグスリスト（アメリカの企業がネット上で運営する、不用品売買などの広告を個人が書き込めるコミュニティーサイト）で売りたいと思います。送料が高すぎるので、着陸する前に売り物の部品を外し、購入者の家の上を通過するときに機外に投げようと思います。安全に着陸するためには、飛行機にあるものをどこまで売ることができるでしょうか？

答：食べ物全部と、座席全部は売れます。しかし、重心が適切な範囲から外れないように注意しなければなりません。重心が前になりすぎると、飛行機はまるでダーツの矢のようになります——どんなにレバーを強く引いても、機首はどんどん下がろうとします。逆に重心が後ろになりすぎると、飛行機は非常に不安定になります。貨物は無条件にすべて売りさばきましょう。手荷物室にあるものはすべて、誰かが輸送のための料金を払ったものですから、きっと何らかの価値があるはずです。

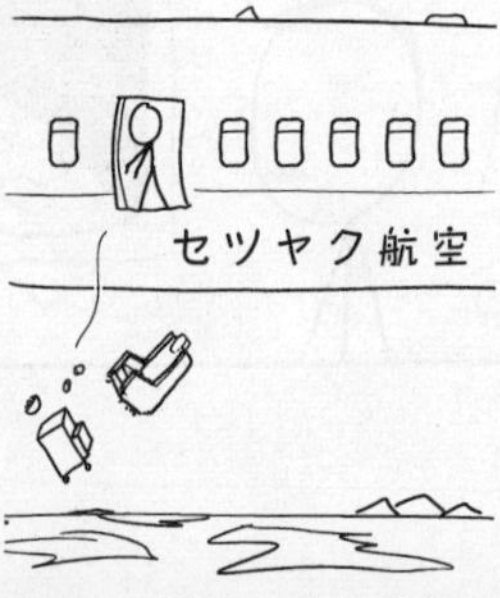

落下しつつある家を着陸させるには

質問：ソユーズのような宇宙船が地球に帰還するとき、パラシュートを開いたあと、機体はまったく制御できなくなります。あなたはこの状況を、「ドロシーの家のように落下する」と表現されています。『オズの魔法使い』では、ドロシーが目覚めると家がオズの国に向かって急降下していましたが、彼女が家の降下を制御するためにできたかもしれないことが何かあるでしょうか？　たとえば、ドロシーが窓の外を見ると下のほうに魔女が見えたので、魔女を避けたかった場合、あるいは魔女の上に落ちたかった場合、さもなくば別の人のところに行きたかった場合、何かできたでしょうか？

答：走り回って、家のいろいろな側面にある窓とドアを開けてみて、気流を変えることで何か空気力学的な制御ができるかどうか試してみることは可能だったかもしれません。しかし、難しいと思いますよ。

配達用ドローンを着陸させるには

質問：誤作動したクワッドコプター（4個の回転翼を持つヘリコプターのこと）型の配達用ドローンに、持ち上げられてしまったとします。荷物を保持するアームが私の上着にひっかかってしまったのですが、ドローンは上昇しつつあり、また、海へと向かっています。私は保持アームから抜け出し、上に登って、ドローン本体に到達することができますが、ドローンが地面に激突しないように、ゆっくり降下させるには、どうすればいいでしょうか？

答：ドローンは電池式なので、私だったら電池を外してドローンを少しだけ落下させ、再び電池をしっかり挿入します。これを十分降下が認められるまで繰り返し、次に、飛び降りるタイミングをはかります。一番いいのは、海にちょうどさしかかったときに浅瀬に飛び降りることでしょう。

ロック鳥《ちょう》を着陸させるには

質問：最後の質問です。これはあなたの専門外になると思うのですが、私がロック——巨大な伝説上の鳥（中東などに伝わる肉食鳥で、『千夜一夜物語』にも出てくる）——にさらわれたとします。ロック鳥に、落とさず優しく下ろしてもらうにはどうすればいいでしょうか？

答：一番いいのは、コントロールに手を焼く大型ハンググライダーのようにロック鳥を扱うことです。あなたが片側にぐぐっと身を引けば、ロック鳥はその方向に旋回せざるを得ないでしょう。また、あなたがなんとかして自分の体を前方に投げ出せれば、ロック鳥は急降下せざるを得ないでしょう。あなたが十分強靭な人なら、どうにかロック鳥を操縦できるでしょう。大型の、コントロールが厄介なグライダーと同じように。

もうひとつ可能なことがあります。もしもあなたが何か、テントや大きな布のようなものを持っていたなら、一種のパラシュートにして使うことができます。パラシュート、あるいはぶら下がっている任意の大きな物体によって抵抗が加われば、飛ぼうとしている生き物なら何でも、とんでもなく苛立つでしょう。あなたがスカイダイバーなら、自分のパラシュートをお使いなさい。いつも予備のパラシュートをお持ちでしょう。

また、武器をお持ちなら、ロック鳥の翼を少しずつ切っていくことができます。これは、あなたが攻撃的な方法を使いたいかどうかによりますが。

心理学的に考えるといいと思います。ロック鳥は何を望んでいるのか？　あなたは餌になるものを持っているだろうか？　などを考えるのです。一番避けたいのは、苛立たせて振り落とされてしまうことです。ロック鳥を、あなたを運びつづけるよう動機づけなければなりません。私なら、ロック鳥が振り落とせないような位置への移動を試みます。

ロック鳥の背中に登り、しがみつくことができたなら、十分しっかりしがみついていられる限り、ロック鳥はあなたに決して手出しできません。つぶせない虫みたいな感じです。しかし、あなたがロック鳥の飛行計画を変更させようとするなら、ご自身の体重を使うか、心理学の知識、もしくは頭脳をフルに活用することです。ロック鳥が何によって動機づけられるのか、私にはわかりませんが。

ランドール　「私の質問に快くお答えくださり、ありがとうございました」
ハドフィールド大佐　「こちらこそ……面白い……質問をありがとうございました。私の答を使わなければならない人がいないといいのですが。しかし、もしどなたかその必要に迫られた人があったら――ランドールに知らせてください。彼がこの本に新しい情報を加えられるように」

第6章 川を渡るには

人間はどういうわけか川のそばに住みたがるが、そのせいで、しょっちゅう川を渡らなければならなくなる。

川を渡る最も単純な方法は、歩いて渡ることだ――要するに、ここには川なんてないことにして、楽観的にかまえてただ歩きつづけるのである。

「川のなかをまっすぐ歩いて行くつもり？」
「私にわかるわけないでしょ？
水文学者《すいもんがくしゃ》じゃないんだから」

（訳注：水文学とは地球上の水の循環について研究する、地球科学の一分野）

人々は普通、川のできるだけ浅いところを選んで歩いて渡ろうとするが、浅瀬であっても、驚くほど危険な場合がある。水流がどのくらいの速さかわかりにくいこともあるし、足首の深さの水ですら、足を取られて転ぶことがある。

「あのね、深さたった15センチの水で、
おぼれることがあるんだよ」
「だったら、もうすぐ大丈夫に
なるはずよ――この先、それより
ずーっと深くなるから」

　川が深すぎて歩いて渡れない場合、泳いで渡ることを試してもいい。しかし、泳いで渡れるかどうかはもっぱら、川の状況しだいだ。川の流れが速すぎる場合、あなたは水流に翻弄され、下流に押し流され、あるいは障害物の下や急流に吸い込まれてしまう恐れがある。

　泳ぎ方は知っているけれども、水泳選手でも何でもない普通の人の場合、おそらく秒速1メートル弱の速さで泳げるだろう。これよりもずっと速い川もあれば、ずっと遅い川もある――川の流速は、秒速0.3～10メートルぐらいまでと、かなりばらつきがある。

　もしもその川がまっすぐに一定の速さで流れている理想的な流れなら、泳いで渡るのにかかる時間は簡単にわかる。なにしろ、水流は無視して、ただまっすぐ対岸に向かって泳げばいいだけなのだから。流れが速い川ほど、渡るあいだに下流側の遠くまで運ばれてしまうだろうが、それでも同じ時間で対岸にたどり着くだろう。

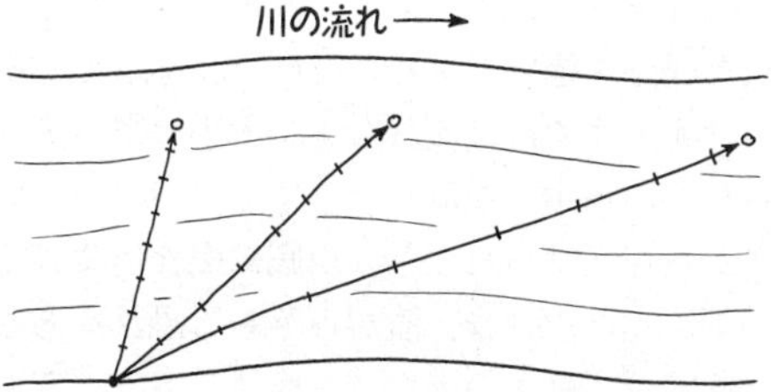

残念ながら、現実の川は一定の速度では流れていない。水流は端よりも中央部のほうが速く、川底よりも水面近くのほうが速い傾向がある。最も流れが速いのは普通、川の最も深い部分の、水面直下だ。川底が滑らかで流れが一定のまっすぐ流れている川の流速は、だいたい次のように分布しているだろう。

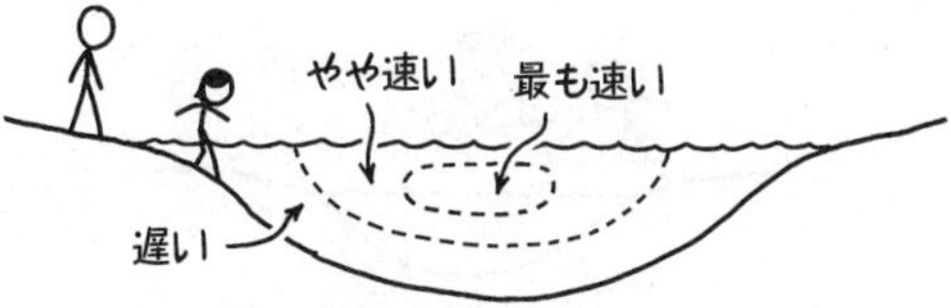

川底に、平らな部分が広がっていると同時に、深い溝状の水路のような部分がある場合には、このような流速分布になっているだろう。

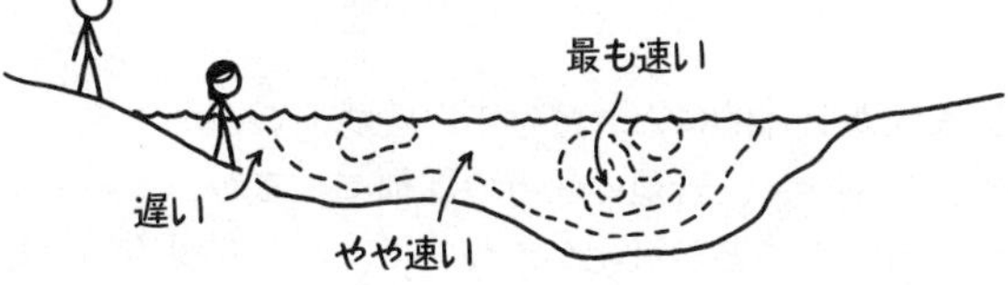

このような形をした川を泳いで渡ろうとしたなら、あなたは複雑な経路を描いて進むことになりそうだ。それに、現実の川はまっすぐには流れない。大小の渦があり、流れも蛇行したり、途中で逆流したりする。実際の川では、水流で川岸から遠ざけられたり、川底に引き込まれそうになったり、下流へと流され、滝から落ちる恐れもあるだろう。

これは危険だ。ほかの選択肢を検討してみよう。

川を跳び越える

川のなかを泳ぐのは気が進まないなら、川の上を越える方法を試してみるといい。川が十分小さければ、最も単純な方法は、跳び越えることだ。

理想的な状況で、物体を45度の角度で上向きに飛ばしたときの到達距離を求める、簡単な公式がある。

$$\text{到達距離}=\frac{\text{速度}^2}{\text{重力加速度}}$$

あなたが具体的にどれだけの距離跳ぶことができるかは、助走、ジャンプ、着地の仕方の詳細によるが、この公式はどのくらいのことが可能かについて、かなり現実的な見積もりを提供してくれる。この公式によれば、もしも時速16キロメートルで走るなら、あなたは約2メートルの距離を跳び越えられると見積もれる。とても小さな川なら跳び越えるのは間違いなくひとつの方法だということが、これで確認できたわけだ。

走るスピードを上げれば、到達距離を伸ばすことができる。走り幅跳びのチャンピオンがしばしば短距離走のチャンピオンでもあるのは、このためだ——ある意味、走り幅跳びの選手とは、前進する代わりに一瞬上昇するのが得意な短距離走選手にほかならないのだ。優れた走り幅跳び選手は9メートル近く跳ぶことができるが、そのためには、ジャンプする直前に時速30キロメートルを優に上回る速度まで加速していなければならない。

自転車は短距離走者よりも速い。あなたがいい自転車を持っていて、それを一生懸命こいだとすると、時速50キロメートルぐらいまで加速することができるかもしれない。このスピードなら、理屈のうえでは、あなたは幅20メートル近くの川を跳び越えることができる。

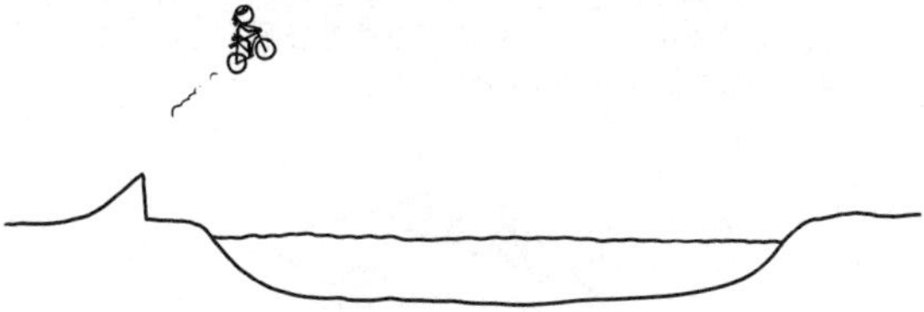

残念ながらエネルギー保存則のおかげで、ジャンプの直前に時速50キロメートルで走っていたなら、あなたは対

岸に時速50キロメートルで着地することになるだろう。これは、重傷または致命傷を負うに十分すぎる速さだ。実際、この離《はな》れ業《わざ》は、川幅が20メートルより広い川で試してみるほうがおそらく安全だ。幅が20メートルではなく、30メートルの川を跳び越えようとしたなら、あなたは対岸側の水中に降下するはずだから、そのほうが硬い地面に落ちるよりも、体へのダメージは少ないだろう。

少なくとも、十分水が深い場合には。

飛び込み禁止

もちろん、速い乗り物を使えば、それだけ遠くまで跳べる。時速約100キロで走っている自動車なら、80メートル近い距離を跳び越えることができる。しかし、時速100キロで走る車を安全に着地させるのは無理だろう。

「ご乗車ありがとうございます。この車の運転手です。車内に自動車を安全に着地させる方法をご存知のかたは、いらっしゃいませんか？」

命知らずのバイク乗り、イーベル・クニーベルは、いろいろな物の上をオートバイで跳び越えて名を上げた。特注のロケット・バイクでスネーク・リバー・キャニオン（アイダホ州のスネーク川にある峡谷で、クニーベルが1974年9月8日に跳び越えようとした場所では幅1マイル〔約1.6キロ〕だったという。現場近くのモニュメントに記されている）を跳び越えようとしたことは有名だが、この特注バイク、法律上の理由で正式には飛行機と分類されていた。バイク乗りのスタントマンとしての人生でクニーベルが何本の骨を折ったか、正確な数字には諸説あるが、「バイクに乗ってジャンプして成功した回数：折れた骨の数」の比は、彼の場合それほど大きくなく、1より小さかった可能性もある。

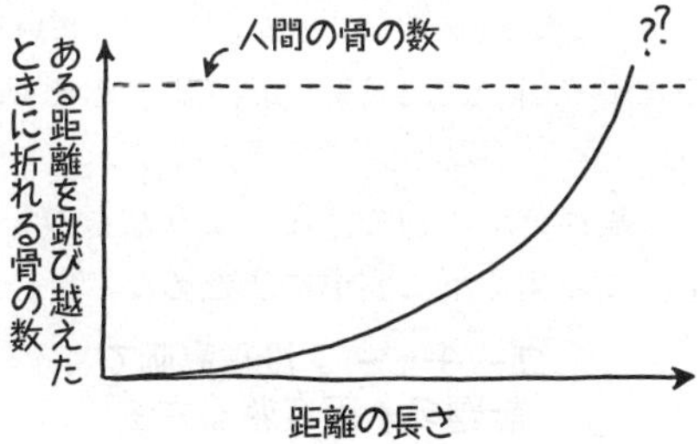

考えてみると、ジャンプして川を越えるのはプロに任せるべきだろうし、そうすればプロも、そんなことはやめようと考えるのが普通だろう（その後スネーク・リバー・キャニオンのロケット・バイクでの跳び越えは2016年9月、スタントマンのエディ・ブラウンが成功させている）。

水面の上を進んで川を横切る

人間が液体状の水の表面の上を歩くことは、少なくとも何らかの技術、もしくは超自然的な力の助けなしにはできない。

水面上を人間が走っていたり、あるいは自転車やバイクに乗って水面上を走っている動画がインターネットで話題になっている。これらの離れ業の背後にある基本原理はごく単純だ。「十分速く走れば、水面に当たったときに水の上に浮いたような状態になり、スキーのように滑る」というわけである。これらの動画が話題になって大勢の人が見るのは、少なくとも「一応もっともらしい」感じがするからで、でっちあげた本人が告白するか、《怪しい伝説》（オーストラリアで製作されアメリカでも放映されている、都市伝説などを実験によって検証する番組）が検証するまで、真相はわからない。

どのような離れ業が本物で、どのようなものが偽物《にせもの》かの見分け方を、このすぐ下に簡単にまとめた。

ユーチューブ投稿動画で
話題の水面を渡る方法

	いかさま	本当にうまくいく
人間が走る	✓	
自転車	✓	
バイク		✓
スノーモービル		✓

ベアフット水上スキー（モーターボートに引かれながら、スキー板をつけずに裸足《はだし》で水上をすべるスポーツ）をする人たちのように、水上に留まりつづけるためには、あなたの両足は水に対して時速60〜70キロメートルの速さで動いていなければならない。ウサイン・ボルトの足でさえ、走っているときにそこまで速くは動かない(1)。

自転車も無理だろう。自分で試さなくても、経験ゆたかなサイクリストに訊くだけでわかろうというものだ。サイクリストなら、自転車は自動車とは違い、「ハイドロプレーニング」（タイヤの下に水の層ができ、タイヤが浮いてスキーのように滑る現象）は普通起こさないと教えてくれるはずだ。自転車も濡れた舗道の上では滑ることもあるが、タイヤ断面形状の曲率が高く、水がどちらかの側《がわ》に押し出されるので、自転車のタイヤが地面と完全に接触を失って水の層の上に「乗る」ことはない。

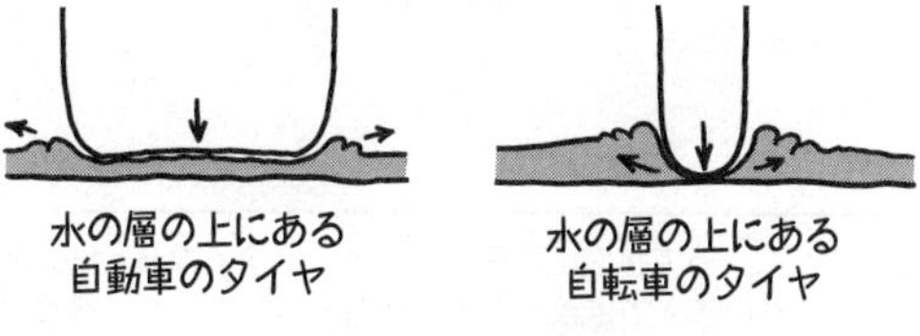

オートバイは自動車と同様の、断面がもっと平らで溝もあるタイヤを使っているので、ハイドロプレーニングを起こすことがあり、《怪しい伝説》が実験を行なって、オートバイでも幅の狭い水路を渡ることができるということをドラマチックに検証した。だが、これでは話がイーベル・

クニーベルの世界に戻ってしまう。

もちろん、水上を進む目的で設計された特殊な乗り物は存在する。

あなたがボートを持っているなら、それは非の打ち所のない、素晴らしい選択肢だ。実際、両岸を行き来できるようにボートが常時備えられている川は珍しくない。

物質の三態

先ほど、人間は走って水を渡ることはできないと申し上げたが、それは完全には正しくない。人間は、液体の状態にある水を走って渡ることができないのである。しかし、水には別の状態もある。ここでは別の状態にある水について調べ、川をその状態に変えて渡りやすくできないかどうか見てみよう。

---

(1) 走ることによって水面上に居つづけようとするなら、一カ所に留まって、ランニングの速さで足踏みする、足踏みランニングのほうが水面に対する足の動きは速く、理に適（かな）っているだろう。体重が軽く、足が大きなベアフット水上スキーヤーなら時速たったの50キロで水上に留まることができるが、これは最速の短距離走者が走る速度より時速10キロ程度速い。したがって、足踏みランニングで水上に留まるのはおそらく不可能だろうが、誰かが短距離走のチャンピオン――小柄で足が大きい人――を連れてきて、その人に足踏みランニングをしてもらいながらゆっくりとプールに下ろしてみるまで、確かなことはわからない。誰かこれを研究テーマとして申請して、助成金を獲得してくれないだろうか。

凍った水

川を凍らせるには何らかの冷却装置と、電源が必要だ。

「ちょっとのあいだ、延長コードをお宅につながせてもらっていい？」
「いいよ。何を動かすの？」
流れている川全体を凍らせるのに十分な製氷機だよ
「スマホを充電するだけ」

水の凍結に関わるエネルギーについて考えるには、ちょっと注意が必要だ。厳密には、水を氷にするのにエネルギーを与える必要はない。水は氷になるとき、エネルギーを放出する。

水を沸騰させるにはエネルギーが必要だが、水が氷になるときにはエネルギーが放出されるのなら、どうして製氷機は電気を生み出さずに消費しているのだろう？

答は、「水のなかにある熱が、水から離れたがらないから」である。熱エネルギーは、自然のままなら、高温の部分から低温の部分へと流れる。四角い氷を温かい飲み物に入れると、熱は飲み物から氷へと流れ、氷を温めると同時に飲み物を冷やして、両者を平衡状態に持っていく。熱力学第2法則によれば、熱エネルギーは常にこの方向に流れたがる。したがって、氷が自然に飲み物を温めながら自分は冷たくなっていくことは決してない。この自然な流れに逆らって、熱を低温の部分から高温の部分へと動かすには熱ポンプが必要で、それを働かせるにはエネルギーがいる。川の温度を下げて凍らせるために川から熱を奪いたいなら、あなたは仕事をしなければならない。

川を冷却して凍らせるにはどれくらいのエネルギーが必要かを知るには、製氷業者らの見積もりを使うといい。アメリカ合衆国エネルギー省のエネルギー効率・再生可能エネルギー部局は、業務用製氷機の電力消費見積もりの指針のなかで、100ポンド（約45キログラム）の氷の製造に必要な電力量について標準的な見積もりとして、5.5キロワット時（kWh）という値を示している。トピカ市におけるカンザス川の春季の平常時の流速は20万リットル毎秒程度なので、これを凍らせるには87ギガワットの電力が必要と見積もることができる。

$$\frac{5.5\mathrm{kWh}}{45\mathrm{kg}}\times\frac{1\mathrm{kg}}{\ell}\times200000\frac{\ell}{\mathrm{s}}\times3600\frac{\mathrm{s}}{\mathrm{h}}\fallingdotseq87\mathrm{GW}$$

87ギガワットというのはものすごい電力だ[(2)]。これは、重量物運搬ロケット（複数の人工衛星や、スペースシャトル程度の重量物を輸送するロケット）の打ち上げ時の出力と同程度で

(2)　これは『バック・トゥ・ザ・フューチャー』で71回タイムスリップをするのに十分な電力だ（この映画では1度のタイムスリップのために装置を作動させるのに1.21ジゴワット〔訳注：ギガワットのこと〕を要する）。

ある。あなたの冷却器を動かすにもこれと同等の大型発電機が必要で、そのような発電機は大量の燃料を必要とするだろう。実際、その発電機に燃料が流入する際の流速は約8500リットル毎秒で、川そのものの流速の5%近くに当たる。

別の言い方をすれば、あなたの製氷機には、あなたが凍らせたい川そのものといい勝負の、大量のガソリンを補給しつづけなければならないのだ。

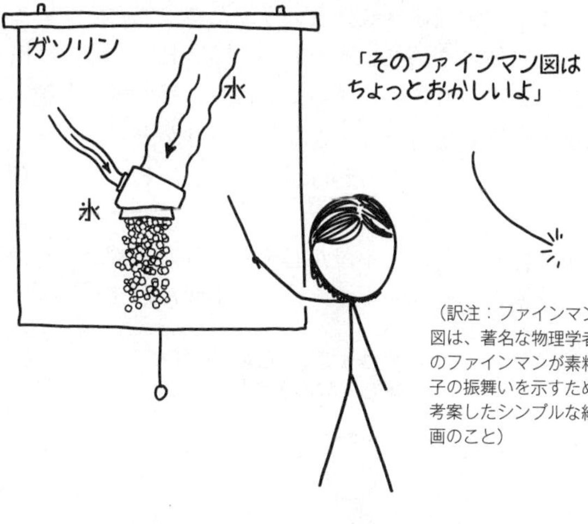
ガソリン
水
氷
「そのファインマン図はちょっとおかしいよ」

（訳注：ファインマン図は、著名な物理学者のファインマンが素粒子の振舞いを示すため考案したシンプルな線画のこと）

だが、なんとかうまくやる方法があるかもしれない。川全体を凍らせる必要はないだろう。表面だけ凍らせればいい。

普通、氷の上を安全に歩くには、氷の厚さは少なくとも10センチメートルなければならない。カンザス川は川幅約300メートルなので、橋を作るとしたらその長さもこれと同じになるはずだ。したがって、幅60メートル（曲がったり折れたりしないようにするための幅）の氷の橋を作るなら、その重さは約1800トンになる。水を凍結してそれだけの氷を作るには200メガワット時を超える電力量が必要で、その費用は約5万ドルとなる（製氷機の費用は一切含めずに）。

沸騰水

ここまで、固体と液体というふたつの状態について見てきた。気体についてはどうだろう？　上流に何か機械を設置して、川を液体から気体に変換し、その後干上がった川底を歩いて渡ることはできないだろうか？

そんなことはできるわけがない。しかし、方法を探してみよう。

まず、水を温める手段が必要だ。普通のやかんが使えないのは明らかだ。そうではなく、必要なのは――

あ、はい。では説明を。もしもあなたが、普通のやかん

を使ってカンザス川を沸騰させたいのなら、こうすればいい。

標準的なやかんには1.2リットルの水が入る。水は熱容量が大きい——つまり、水の温度を上げるには大量のエネルギーが要《い》る。だが、高温の水を沸騰させるには、途方もない量のエネルギーが必要だ。1リットルの水を室温から100℃まで温めるには約335キロジュールのエネルギーがなくてはならない。その100℃の水をさらに100℃の水蒸気に変換するには、はるかに大きな2264キロジュールのエネルギーを要するのである。

この事実は、お湯を沸騰させるときに実感することができる。たいていの電気ポットは、お湯を沸かすのに約4分かかる(3)。しかし、そこで電源を切ると、お湯の大部分はまだ液体のままだ。お湯は沸点に達しているのだが、まだ液体の状態にある。水を完全に沸騰させる——完全に水蒸気に変える——には、水を約30分間加熱しつづけなければならないのだ。水を沸騰させるまでにかかる4分に比べれば、はるかに長い時間である。

カンザス川の流速は約20万リットル毎秒だが、これは大雑把《おおざっぱ》に言って、毎分1000万個の電気ポット(4)が流れているのと同じである（200000リットル×60秒/1.2リットル=10000000）。個々の電気ポットは自分の1.2リットルの水

---

(3)　ほとんどの電気ポットは——ほとんどのヘアドライヤーと同様に——アメリカでは最大消費電力が1875ワットに制限されているはずだ。もしもこれ以上の電力を消費できるとすると、定格容量15アンペア（15A）のアメリカの家庭用コンセントに安全につなぐことができなくなる。
(4)　10メガ電気ポット。

を30分間加熱しつづけなければならないので、カンザス川を完全に水蒸気にするには、合計3億個の電気ポットを同時に働かせなければならない。

電気ポットの底が直径18センチメートルだったとすると、30センチ四方当たり3個ずつの密度で置くことができる。

だとすると、3億個の電気ポットを置くには、直径約3キロメートルの円形のエリアが必要になる。川を沸騰させるのなら、川を分断し、電気ポットが並ぶ場所に向かうように流れを変えなければならない。川が流れ込んできたら、それぞれのポットがその水を沸かす。沸かし終えて空《から》になったら、新たに川の水が満たされる。

理屈通りにいけば、次のような状況になるはずだ。

だが、実際の状況は、こんなものだろう。

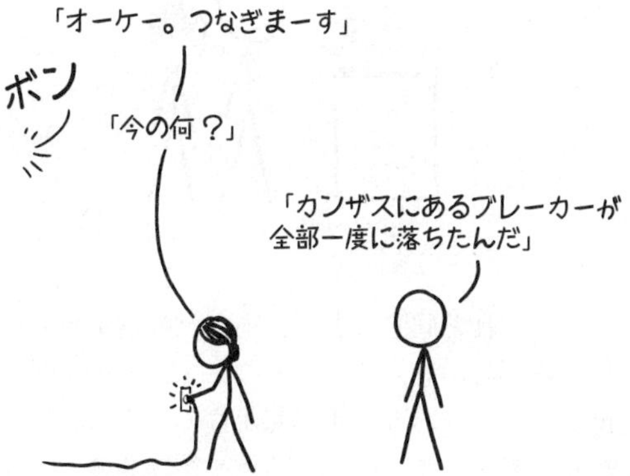

あなたが準備した大量の電気ポットは、計算上は、全国で使われている電力の総量とほぼ等しい量の電力を使うことになる。私たちの送電網を使って、1カ所にこのように電力を集中させる手段は存在しない。

おそらくこれで、かえって良かったのだ。なぜなら、もしこんなことが可能だったら、まずいことになるからだ。

水を沸騰させると、高温の水蒸気が発生する。水蒸気は上昇する。台所にある1個のやかんなら何も問題ない――水蒸気は上昇し、天井にぶつかり広がって、やがて消散してしまう。

ある意味これと同じことが、あなたの電気ポットエリアにも起こる。しかし、それはもうちょっと……ドラマチックな現象となるだろう。水蒸気が柱のように成長して成層圏に至り、広がって、火山の噴火や核爆発のようなキノコ雲を形成するだろう。空気が上昇するとき、元々その空気が存在した場所をめがけて、周囲からどんどん空気が流れ込んでくる。台所のコンロの上に置かれた１個のやかんでこれが起こっている限りでは、あなたがこの気流を感じることはないだろうが、あなたの電気ポットエリアの周囲に住んでいるカンザス市民たちは、間違いなくこれに気づくはずだ。四方八方から電気ポットエリアめがけて風が地表を吹き、上昇する水蒸気の柱の底に集中するだろう。

地上の電気ポットエリアは、大変なことになっていそうだ。ポット群は大量の電気エネルギーを吸収し、水蒸気と熱放射の形でそれを放出しているだろう。あなたの電気ポットエリアのエネルギー出力は、直径数キロ規模の溶岩の湖が放出する熱よりも大きいだろう。

熱には、熱を受け取った相手を、熱源と似たものに変えてしまう性質がある。大雑把に言って、溶岩の湖と同等のエネルギーを放出するものは、溶岩の湖のようなものになってしまう。あなたの電気ポット群は過熱し、故障し、そして溶ける。

仮にあなたが不燃性で耐熱性のポットとワイヤーを見つけたとしよう。この場合ポット群は、水蒸気の底部を過度に急速に加熱してしまう恐れがある。対流によって熱が運び出されるよりも速いペースで熱が流入し、水蒸気の温度が上昇するだろう。あなたがポット群を十分長く稼働させた場合、水蒸気が気体からプラズマに変化する可能性がある。

さて、あなたが川の水を水蒸気にすることによって川を渡ろうとすれば、結果としては次のようなことになるだろう。

川底の泥のなかを歩いていると、やがて左手に、強烈な熱を放出している巨大な水蒸気の柱が見えてくる。その真下には、どんどん大きくなりつつある溶岩の湖がある。右手からは、川床に沿って強風が吹いてくる。風は一時的にはあなたを涼しくしてくれるが、強さが増すと、あなたは溶岩湖に向かって吹き飛ばされてしまうかもしれない。上空からは弱い雨が降っており、地面は温かい泥と化している。頭上では電線がパチパチと音を立てながら火花を散らしている。全米の送電網が電気をあなたの溶岩湖へと送っているからだ[5]。

ここに来てあなたは気づく。そもそも電気ポットのスイッチを入れる必要さえまったくなかったのだと。ポットを水で満たすのに30分かかったのだった。その時間をかけて川の一部を排水し、そこを歩いて渡ればよかったのだ。

でも、それじゃあこんなに面白くなかったよね。

凧

電気ポットを３億個持っていないなら[6]、凧で川を渡ってみるといいかもしれない。

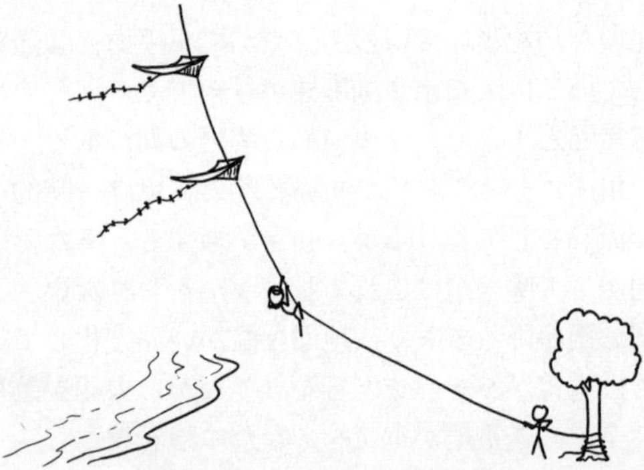

(5)　ポットを撤収したあとに残ったクレーターには川が流れ込んで、しばらくのあいだ「電気ポット穴池」を形成するだろう（このくだりの話にウケてくださった、約４名の雪氷水文学者のみなさんにお礼申し上げます）。
(6)　理由はともかく。

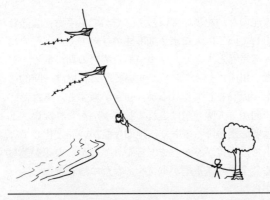

じつは、凧は川を渡るのに使われてきた歴史がある。かつて技師たちがナイアガラの滝の下にある渓谷に吊り橋を架けようとしたとき、彼らはまず、1本のケーブルを片方の崖から反対側の崖に渡さなければならなかった。

どうやってケーブルを渡すか、彼らはいろいろな案を検討した。フェリーボートでケーブルを引きながら対岸まで行くことを考えたが、川は激しく荒れ狂う急流で、ボートがはるか下流まで流されてしまうと予想され、無理だということになった。峡谷はかなり幅が広く、対岸まで矢を射るのも不可能で、また大砲やロケットを使うという案も検討されたが却下された。結局、凧揚げ大会を開き、対岸まで凧を見事に飛ばすことができた人には10ドルの賞金（賞金は5ドルだったという記録もある）を贈ることにした。

ついに15歳のホーマン・ウォルシュが、数日間ねばって峡谷にケーブルを渡すことに成功した。彼はナイアガラの滝のカナダ側から凧を揚げ、アメリカ側の木に引っかけることに成功し、賞金を獲得したのである。橋専門の技師たちは、この凧の紐にもっと強い紐をつないでこれを峡谷に渡し、同じことを数回繰り返したすえに、アメリカとカナダを2分の1インチ径のケーブル（半径1.27センチ。一説には7/8インチ、すなわち2.2センチ径とも）で結びつけた。[(7)]続いて彼らは峡谷に次々とケーブルを渡していき、塔をふたつ建て、ついには吊り橋を完成させたのだった（凧揚げ大会は1847年に行なわれ、仮の吊り橋は翌年8月に一般開通したが、技師を鞍替えするいざこざで開発計画が3年間放置されてしまったという）。

もちろん、あなたがホーマン・ウォルシュ式にやろうというのなら、あいだのステップはすべてパスして、自分自身を凧で対岸に運べばいい。人揚げ凧は19世紀後半から20世紀前半の一時期、飛行機の発明によって魅力が薄れるまでは、開発が競われた。

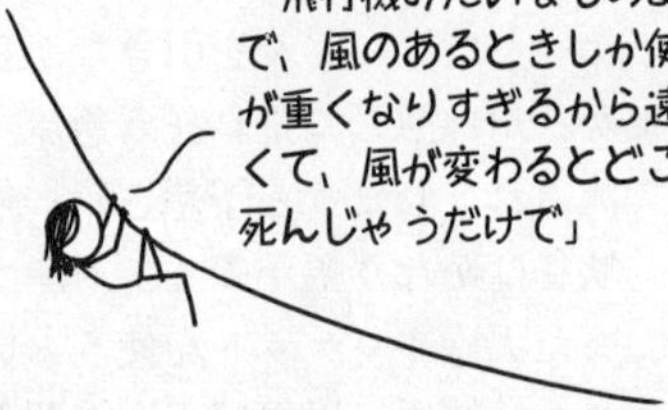
「飛行機みたいなものよ。ただ紐付きで、風のあるときしか使えなくて、紐が重くなりすぎるから遠くまで飛べなくて、風が変わるとどこかに衝突して死んじゃうだけで」

---

(7)　1848年7月13日付けの《バッファロー・コマーシャル・アドバタイザー》（19世紀にニューヨーク州バッファローで刊行されていた日刊紙）に、「滝で起こった事件」という記事がある。それには、とてもかわいらしい小鳥――ツキヒメハエトリの類（たぐい）――がナイアガラ峡谷の観光蒸気船、霧の乙女号の外輪のそばに巣を作り、数年間続けてヒナを育て、巣立たせることに成功したという最新ニュースが載っていた。私は昔の新聞が大好きで、この手の情報を知らせてくれるニュース・アラート・アプリがスマートフォンにあればいいのにと思う。

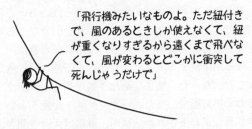

もちろん、すべての人揚げ凧による飛行が、風の変化により恐ろしい衝突に終わるわけではない。衝突は、まったく別の理由で起こることもある！

1912年、ボストンの凧製作業者サミュエル・パーキンスは、ロサンゼルスで人揚げ凧のテストをしていた。彼が、到達高度記録を更新する200フィート（約61メートル）まで舞い上がったとき、1機の複葉機が通りがかりに凧の紐を切ってしまった。奇跡的に、バランスを崩した凧がパラシュートのように作用し、パーキンスは落下したものの、かすり傷だけで助かった。(8)

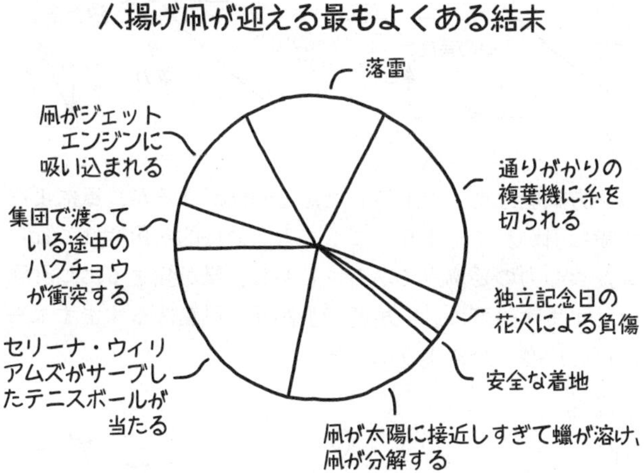
人揚げ凧が迎える最もよくある結末
落雷
通りがかりの複葉機に糸を切られる
独立記念日の花火による負傷
安全な着地
凧が太陽に接近しすぎて蠟が溶け、凧が分解する
セリーナ・ウィリアムズがサーブしたテニスボールが当たる
集団で渡っている途中のハクチョウが衝突する
凧がジェットエンジンに吸い込まれる

凧の代わりに風船を使うこともできる。風船と凧は妙に

---

(8)　複葉機の翼も損傷を受けたが、パイロットは安全に着陸できた。

似ている。紐が結ばれた風船と凧はある意味、1本の斜線を軸にした鏡像関係にあると言えるのだ。紐につながれた凧は、重力のせいで地面に対して水平に寝たがる傾向があり、凧を通過する風は、凧に上向きの力を与える。最終的に凧が地面に対して取る角度は、これらふたつの力の妥協によって決まる。

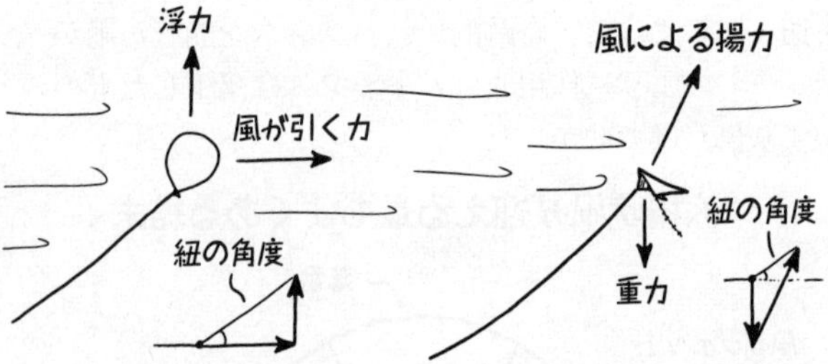

一方風船は真上に上昇したがる傾向があるが、風によって横に引かれてしまう。ここでも、最終的な角度はこれらふたつの力の妥協点である。しかし、風が強まるにつれ凧はますます鉛直に近い角度で上がり、風船はますます水平に近い角度で飛ぶようになる。

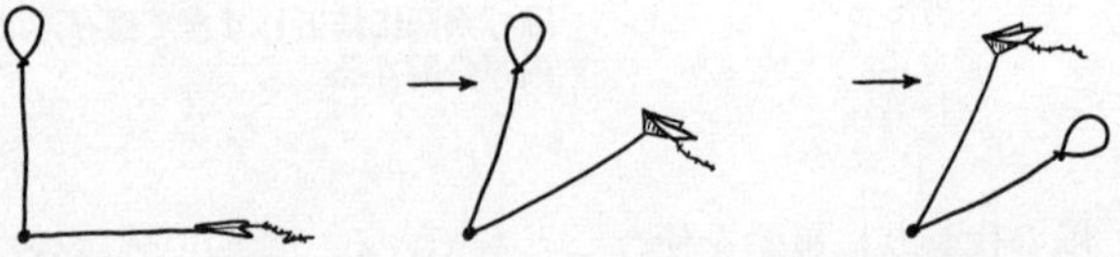

川の対岸に到達したなら、あなたの次の課題は降りるこ

とである。だが、これは難しくない。今回ばかりは、重力は間違いなくあなたに協力してくれる。あなたが自分を持ち上げてくれているもの――それが凧、風船、あるいはその他の装置、何であれ――を少しだけ飛びにくくしてやりさえすれば、あとは重力がすべてをやってくれる。

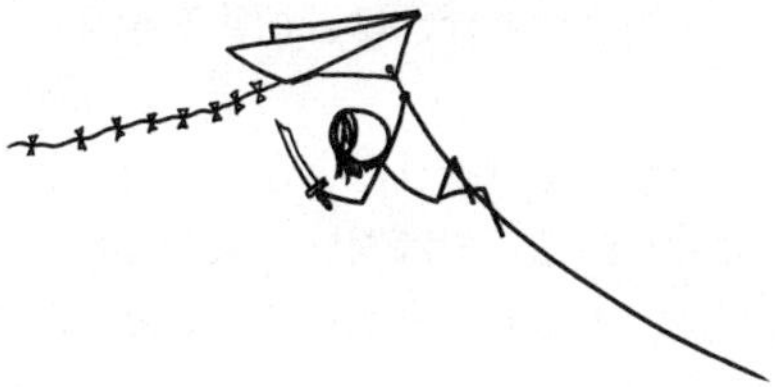

第7章

引っ越すには

引っ越し先を決めたあなたは、荷物を全部そこへ運ばなければならない。

あまり持ち物がなく、それほど遠くへ行くわけではないなら、これは大したことではない。大きなかばん、または袋に全部詰め込んで、元の家から新しい家に運べばいいだけのことだ。

「あなたの持ち物ってこれで全部？」
「ああ。じつは、このうち90%は何かわからないケーブルでさあ、怖くて捨てられないだけなんだ」

残念ながら、あなたがたくさん物を持っている場合、引っ越しは大変な仕事になるかもしれない。引っ越しをするとき多くの人は、どこかの時点で自分の持ち物全体を見渡して、引っ越しがどれだけの仕事になるかに気づき、穴のなかに埋めてすべてを置き去りにして、ただ出て行ってしまったほうが楽だと悟る。これは立派なひとつの選択肢だ！　あなたがこの方法を選ぶなら、第3章「穴を掘るには」をお読みください。

そうでなければ、あなたは自分の持ち物を、運べるように荷造りしなければならない。ほとんどの人が選ぶ標準的な荷造りの手順は、すべての持ち物をいくつかの箱に詰めたあと、箱を家の外に運び出すというものだ。

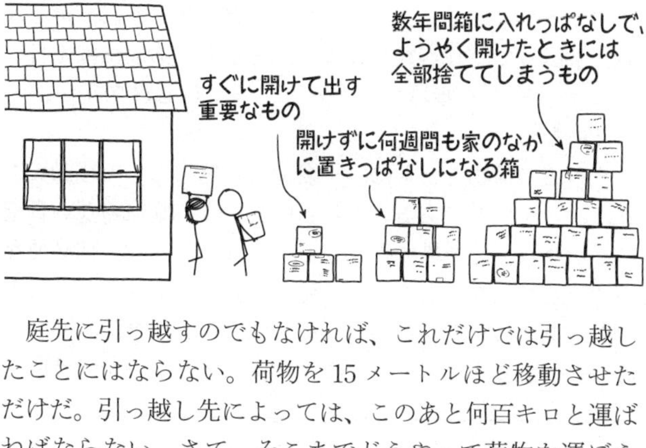
数年間箱に入れっぱなしで、
ようやく開けたときには
全部捨ててしまうもの
すぐに開けて出す
重要なもの
開けずに何週間も家のなか
に置きっぱなしになる箱

庭先に引っ越すのでもなければ、これだけでは引っ越したことにはならない。荷物を15メートルほど移動させただけだ。引っ越し先によっては、このあと何百キロと運ばねばならない。さて、そこまでどうやって荷物を運ぼうか？

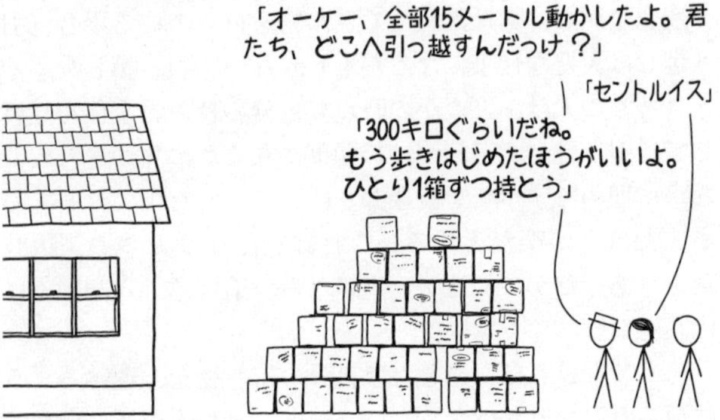
「オーケー、全部15メートル動かしたよ。君たち、どこへ引っ越すんだっけ？」
「セントルイス」
「300キロぐらいだね。もう歩きはじめたほうがいいよ。ひとり1箱ずつ持とう」

荷物を手で運ぶというのもまずい。仮に、あなたは約20キログラムの荷物を持って歩けるとしよう。一般的な経験則として、寝室が4つある標準的な家の家財道具一式は約5トンなので、あなたは250往復しないと引っ越せない。(1) 手伝ってくれる人が3人いたとして、あなたは1日に15キロメートル歩けるとすると(2)、引っ越しに7年かかることになる。

すべての荷物とともに、一度で引っ越し先まで移動できればはるかに楽である。うれしいことに、摩擦のない真空のなかでは、物を横に押しやることに、仕事は一切必要ない。そして、もしもあなたが元いたところより低いところへ引っ越すのなら、その引っ越しには負の仕事が必要である——つまりその引っ越しにより、エネルギーを受け取れ

---

(1)　また、冷蔵庫を運べる程度に軽くするため、のこぎりで小さく切断しないといけないかもしれない。

(2)　平均で。帰りには手ぶらのはずなので、行きよりも速く歩けるだろう。

るのだ！　だが、残念なことに、あなたはおそらく摩擦のない真空のなかで暮らしているわけではあるまい。引っ越しのときに便利なのが明らかだというのに、たいていの人はそうはしない。

「このエアーレス・ドーム、いいわね。どうしてこんなに安いの？」
「ほら、不動産の三原則ですよ。1に立地、2に立地、そして3つめは酸素を含む空気と、思った通りに動ける床、っていう」

私たちが住む摩擦と空気のある世界では、引っ越しには仕事が必要だ。あなたが所有する５トンの荷物は重く、それを横に押すには力が必要となる。そのとき地面がおよぼす抵抗、つまり地面と荷物のあいだの摩擦力は、箱と地面のあいだの摩擦係数と箱の重さを掛け算すればわかる。摩擦係数を見積もるには、箱が滑りだすには地面をどれだけの角度傾けなければならないかを見て、その角度のタンジェントを計算すればいい。

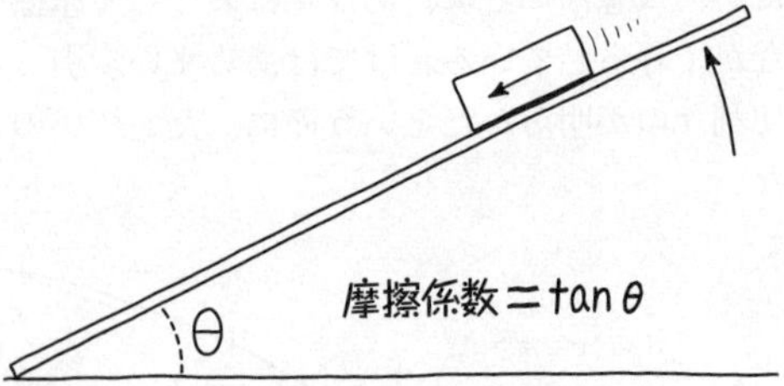
摩擦係数＝tanθ
θ

コンクリート面の上で箱を横に滑らせて動かす場合、摩擦係数は0.35程度だろう。すると、合計5トンの荷物を箱詰めした引っ越しの荷物一式を、コンクリートの面の上を横に滑らせて動かすには、1750重量キログラム（＝1万7160ニュートン）の横向きの力が必要だ。これは、ひとりの人間では無理だ――15人からなるエリート綱引きチームが出せる力にほぼ匹敵する(3)――が、大型ピックアップトラックなら能力の範囲内である。

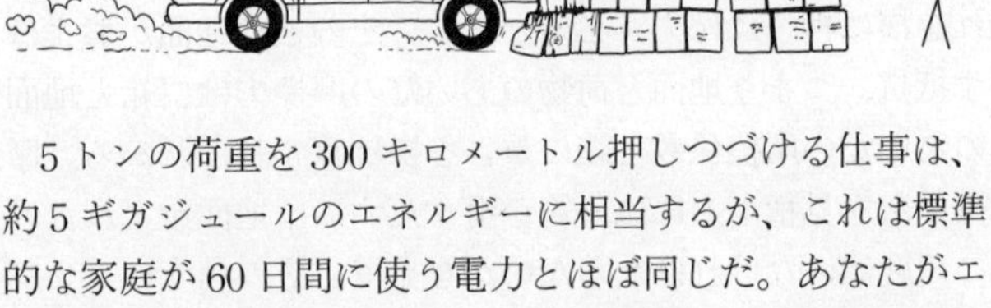
「オーケー、
そのままどんどん
押して！」

5トンの荷重を300キロメートル押しつづける仕事は、約5ギガジュールのエネルギーに相当するが、これは標準的な家庭が60日間に使う電力とほぼ同じだ。あなたがエ

(3)　エリート綱引きチームは実在する。綱引きは、一般に認識されているよりもはるかに危険なスポーツだ。what-if.xkcd.com/127 にその恐ろしさが詳しく説明されている。

リート綱引きチームを使っているなら、これは1日当たり2000キロカロリーの食糧を600日間提供することに相当する。5ギガジュールと聞くとものすごい量だという感じがするが、それほどでもない――ガソリンならたった約150リットルだ（ゼネラル・モーターズ社製のハマーというSUVのガソリンタンク容量は約121リットル。また、ガソリンの発熱量は、47.3MJ/kgで、これを使って150リットルのガソリンの発熱量を計算してみると、約5ギガジュールとなる）。

とはいえやはり、たとえあなたが荷物を押してアメリカを横切ることができるほどパワーのあるトラックを持っていたとしても、これは引っ越しの方法としてはうまくないだろう。段ボールは道の上をすべっているうちに摩耗し、やがてあなたの家財道具が徐々にすりつぶされていくだろう。

荷物をすべて、何か硬くて摩擦に対して強い材料で作った橇《そり》の上に載せれば、この状況は改善できる。だが、橇の下に橇とともに動くローラーを何個か置けば、この方法をもっと改良できる。さらに、ローラーの位置をたびたび直さなくてもいいように、軸もつけよう。おめでとう、あなたは車輪を開発したのだ。

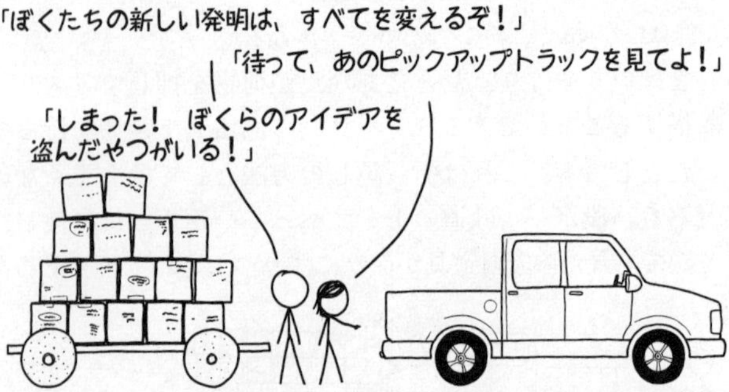
「ぼくたちの新しい発明は、すべてを変えるぞ！」
「待って、あのピックアップトラックを見てよ！」
「しまった！　ぼくらのアイデアを盗んだやつがいる！」

じつを言えばここであなたは、引っ越しの標準的な手段、引っ越しトラックを再発明したのだ。しかし、それでもやはり、あれこれの荷物を箱詰めするのは大変な作業だ。あなたが自分の持ち物を自分で箱詰めするのはごめんだと言うなら(4)、別の選択肢がある。家ごと引っ越す、というのがそれだ。

(4)　あるいは、代わりに荷造りしてくれる引っ越し業者に頼むのがどうしてもいやなら。

荷造りせずに引っ越す

家の移設は珍しいことではない。歴史的な理由で家が移設され保存されることもある。新しい家を一から建てるより、どこかの空き家を持ってきたほうが安上がりなこともある。そして、個人が家の移設を決意することもあり、彼らがそのためのお金を十分持っているなら、何の支障もなくそれを実行に移すことができ、その理由を説明する必要もない。

家は重い――家は、そのなかにある家財道具一式よりもはるかに重い。１軒の家の重さはさまざまだが、基礎を含めて、１平方メートル当たり約１トンだろう。基礎を含めなければ、大幅に軽くなるはずだ。平均的な大きさの１階建ての家は約70トン、またはコンクリートの基礎もしくはスラブを含めて約160トン程度の重さだろう。

家を持ち上げるのは難しいが、その理由は、家の重さだけではない。家は頑丈だと思われるかもしれないが、それほど堅牢ではない。その作業を、キングサイズのマットレスを持ち上げるようなものだという移設業者もある――１カ所だけを保持して持ち上げようとすると、そこだけしか持ちあがらないのだ。

家１軒を持ち上げるには普通、基礎に穴を数カ所開け、その下にＨ型鋼を数本、その家の荷重を受ける部分に沿って配置する。そうすれば、Ｈ型鋼を持ち上げることにより、家全体を一緒に持ち上げることができる。

まず、家を基礎から分離しなければならないが、それには、基礎と家の枠組みをしっかり固定している、いわゆる「ハリケーン・ストラップ」（交差する複数の木材の接合部を固定する補強金具）をすべて外さなければならない。これらの金具は、今あなたがしようとしているまさにそのことをハリケーンにやられるのを阻止するために取りつけられている。[(5)]

家を基礎から持ち上げたら、それを載せる運搬車を見つけなければならない。最もよく使われるのは平台トラックだ。次にこのトラックを使って、家を新しい場所まで運ぶ

(5) もしもハリケーン・ストラップがついていなければ、あなたは一部の手間を省くことができるかもしれない——十分長いあいだ待てばハリケーンか竜巻がやってきて、あなたの代わりに家を動かしてくれるかも。

ことができる。ただし、道幅が十分広いとしてだが。車の向きを変えるときは、くれぐれもあまり急に方向転換しないように。

家を車で運ぶのは、車そのものの運転よりも難しい[(6)]。あなたの家が並外れて軽く、空気抵抗が小さいのでなければ、おそらく燃費効率はかなり下がるだろう。ガソリン１リットル当たり何キロメートルほどと予想されるだろうか？　基本的な物理学を使ってそれを見積もることができる。近代的な内燃機関は、供給された燃料のエネルギーの約30％を有効な仕事に変換することができる。高速道路のス

---

(6)　ひとつには、縦列駐車がおそらくきわめつけの難事になる。そのかわり、道に合流しようとするときは、たいていの人が譲ってくれるだろう。

ピードでは、エンジンの仕事のほとんどは空気の流れの抗力に対抗するために使われてしまうので、あなたの車がどれだけの燃料を消費するかを見積もるには、あなたの家のいろいろなパラメータを抗力の方程式に代入すればいいだけだ（抗力を及ぼすのは空気だけではないので、これはたぶん最善の場合の話になるだろう）。

空気の抗力に逆らって家を車で運ぶときの燃費効率
（ガソリン単位体積当たりの走行距離）

$$= \frac{\text{ガソリンのエネルギー密度}}{\frac{1}{2} \times \text{空気の密度} \times \text{家の断面積} \times \text{抗力係数} \times \text{速度}^2}$$

$$= \frac{35\frac{\mathrm{MJ}}{\ell} \times 30\%}{\frac{1}{2} \times 1.28\frac{\mathrm{g}}{\ell} \times 5.5\mathrm{m} \times 11\mathrm{m} \times 2.1 \times (70\mathrm{km/h})^2} \fallingdotseq 0.3\mathrm{km}/\ell$$

「私の家を幹線道路で運ぶときの燃費はどれくらいですか？」などの、ちょっとばかばかしい質問を物理学者にすることができて、物理学者のほうもそれにちゃんと答えてくれるというのは、とてもうれしい。

抗力は、走る速度が上がるにつれ急速に増加する。あなたが時速70キロで走っているなら、燃費はリッター0.3キロだ。それよりほんの少し速い時速90キロなら燃費はリッター0.2キロまで落ちる。もしもあなたが自分の家を高速道路に乗せて、時速130キロで走らせるなら、燃費はリッター0.08キロまでさがり、80メートル進むごとに1リットルのガソリンを燃焼させることになる。

そんな猛スピードで家を載せて走るなんて、やめておいたほうがいいだろう。というのも、時速130キロで家を載せて走れば、周囲の空気は相対的に風速36メートルの強風となって家に吹きつけるので、屋根の重要な部分を吹き飛ばしてしまうおそれがあるからだ。それに、たとえあなたが制限速度を守っていたとしても、向こう見ずにも家を載せて走っている車を見たら、警察はいい気はしないだろう。(7)

もしもあなたが実際に警官に止められたら、自分は家のなかにいるのだと主張してみてはどうだろう。家のなかなら、警察は令状なしには入ってこられないのだから！　アメリカでは、警察官は車両のなかなら「相当な理由」があると判断すれば捜索できるが、家のなかはできない。それ

(7)　幹線道路を走って家を運ぶためには、一般に、特別な「制限外積載許可」の類（たぐい）を取得しなければならないが、あなたが漫画家が書いた本の指示に従って家を動かそうとしているのなら、このような申請はしないほうがいいだろう。

は立派な犯罪だ！

しかし、司法当局はこれに同意しないかもしれない。1985年のカリフォルニア州対カーニーの裁判では連邦最高裁判所が、トレーラーハウスやRV車は停車中であっても車両と見なすことができ、令状なしに捜索され得るとの判決を下した。判決理由のなかで彼らは、可動性と道路上での走行に関する適性を、ある物が車両であり捜索可能かどうかを判断する際の主要な決め手として挙げた。

> キャロル判決では明らかに、「迅速に移動できる」能力が判決の根拠になっており、本訴訟も即座に移動できることを、「自動車捜索の例外」（住居ならば本来令状なしには捜索できないが、自動車を住居として使っている場合は、自動車の可動性を根拠に例外的に無令状捜索が許されるという考え方。「キャロル判決」は1925年に下ったもので、判例として引いているようだ）の主な根拠のひとつとして終始見なしてきた。
>
> ——カリフォルニア州対カーニー裁判、471U.S. 386 (1985)

私が知るかぎり、平台トラックに積載されて輸送されている家屋に「自動車捜索の例外」が適用されるかどうかに関する判決はどの法廷でも下されたことがないようだ。しかし、あなたの法的根拠は薄弱なので注意してほしい。

家を空輸する

家を車で運ぶ計画を立てているうちに、いろいろと厄介事があることに気づかれたかもしれない——途中に避けられない低い陸橋や細道があるなどだ。「制限外積載許可」の申請がいやだと思っておられるかもしれない。あるいは、あなたは非常に急いでいて、車で運ぶ時間はないかもしれない。もしもそうなら、家を空輸してみてもいいのでは。

家全体を空輸することには、いくつか困難な課題がある。世界で最も強力なヘリコプターが運べる荷重は10トンから20トンぐらいだ。これは、中程度の大きさの家の家財道具（約5トン）を運ぶには十分だが、家そのものは運べない。

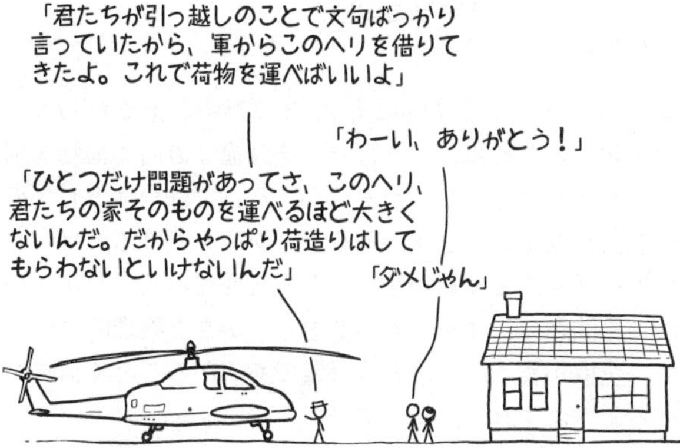
「君たちが引っ越しのことで文句ばっかり言っていたから、軍からこのヘリを借りてきたよ。これで荷物を運べばいいよ」
「わーい、ありがとう！」
「ひとつだけ問題があってさ、このヘリ、君たちの家そのものを運べるほど大きくないんだ。だからやっぱり荷造りはしてもらわないといけないんだ」
「ダメじゃん」

ヘリコプター1機で家が持ち上げられないなら……数機ではどうだろう？　複数のヘリコプターを家につないだうえで、全機を一度に上昇させたら、これらのヘリコプターはもっと重い荷重を運べるようになるのでは？

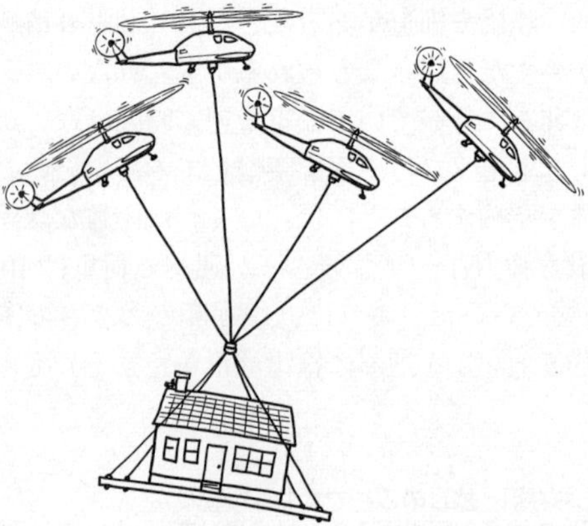

複数のヘリによる空輸にも2、3の難題があるだろう。衝突を避けるために、ヘリはそれぞれ違う方向に荷物を引き上げなければならないだろうが、それでは全体としての運搬能力が低下してしまいそうだ。衝突を避けるには、すべてのヘリがうまく連係することも必要だろう。だがこのふたつの問題は、すべてのヘリをしっかりと物理的につないで、全機がまるで1機の飛行機であるかのごとく荷物を運べるようにすれば同時に解決できる。

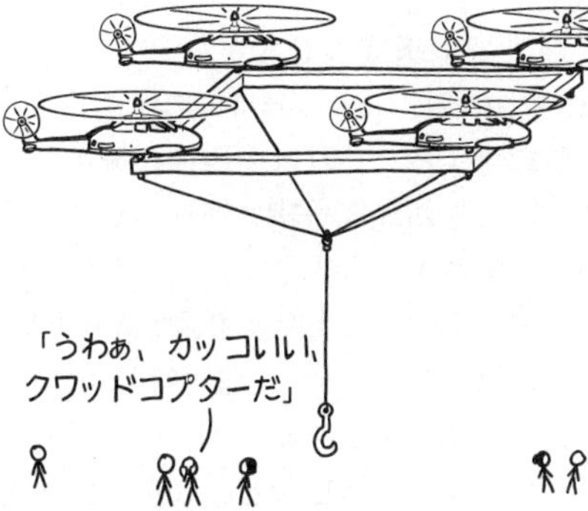

いかにもばかげた話と思われるだろうが、だからというか案《あん》の定《じょう》、米軍が冷戦中にこれを研究していた。178ページに及ぶ報告書で彼らは、２機のヘリをくっつけるという高度な工学技術によって超重量物運搬ヘリコプターを製造するという案を検討した。このプロジェクト[8]は計画段階から先へ進むことは決してなかったが、その理由はおそらく、図面が交尾するトンボのカップルにしか見えなかったからではないだろうか。

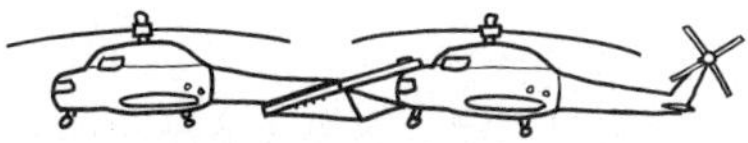

ヘリコプター複数機による重量物運搬システム
（1972年海軍実行可能性分析）

交尾するトンボの番《つがい》

貨物機はヘリコプターよりもはるかに重いものを運ぶことができる。超大型輸送機のC-5ギャラクシー（ロッキード社製の軍用超大型貨物機で、米軍が運用している）なら、150トン近い荷重を空輸できる。これは中規模の家1軒を運ぶに十分で、小型の家なら基礎も一緒に運べるかもしれない。問題になるのは、重さよりも大きさだ——たいていの家は、C-5ギャラクシーの貨物室には大きすぎて入らない。

極めて大きな貨物を運ぶために設計された、クジラ型の特殊航空機が数種類存在する。ボーイングのドリームリフターやエアバスのベルーガXLなど、なかでも最大のものは、製造中の飛行機の断片を工場から工場へと空輸するために製作された。礼を尽くしてお願いすれば、エアバスかボーイングのどちらかが、あなたに1機貸してくれるかもしれない。

あなたの家を飛行機のなかに格納できなければ、飛行機の上に載せてみるという手がある。これはNASAがスペースシャトルを国内で運ぶのに使った方法で、ボーイング747をシャトル輸送機に改造したものの背中に、スペースシャトル・オービター（スペースシャトルの構成要素のうち、実際に地上と国際宇宙ステーションとのあいだを往復する宇宙船の部分）を載せて空輸したのだ。オービターを運ぶために、輸送機の胴体には特殊な取りつけ用支柱が突き出ている。この突起は、オービターの腹にあるソケットにぴったりはまるようになっている。突起の横には、指示を記した板が取りつけられているのだが、その文は航空宇宙産業史上唯一

(8)　コードネームは当然、「ヘリ百足（むかで）」だったでしょうね。

にして最高のジョークである。

オービター取りつけ部
注意：黒い側を下に

忘れないでいただきたいが、貨物機の外側に家を取りつければ、風速200メートルを超える暴風に家を曝《さら》すことになる。たいていの構造物を作るときに想定する、耐えうる最大風速をはるかに超えている。それに、家を背中に載せれば、飛行機の操作にも影響が出るだろう。

飛行機で家を運ぶことには、もうひとつ問題がある。垂直に離着陸できる貨物用ヘリコプターとは違い、飛行機があなたの家を運ぶときには、多数の電柱、木、そして近隣の家屋をなぎ倒さずには済まないだろう。あなたが滑走路の端に住んでいるのでなければ、離陸は大変なことになるだろう(9)。

だが、ただ単に自分の家を空中に高く上げて、続いてそれを横に押していきたいだけなら、飛行機１機でなくともまにあうのではないか？　ただ「押す」パーツだけでいいのでは？　787ドリームライナー（ボーイング社の中距離ジェット旅客機）のエンジンは約30トンの推進力を出すことができ、エンジンの重量はたった6トンなので、ジェットエンジンがふたつあれば、小さな家を空中に持ち上げること

---

(9)　もしもあなたが実際に滑走路の端に住んでおられるなら、あなたの住宅所有者保険はどのような契約になっているのか、そして、あなたの総合自動車保険は航空機との衝突にも適用されるのかどうか、ぜひ教えていただけませんか？

ができるだろう。これをどう応用すればいいかは明らかだ。

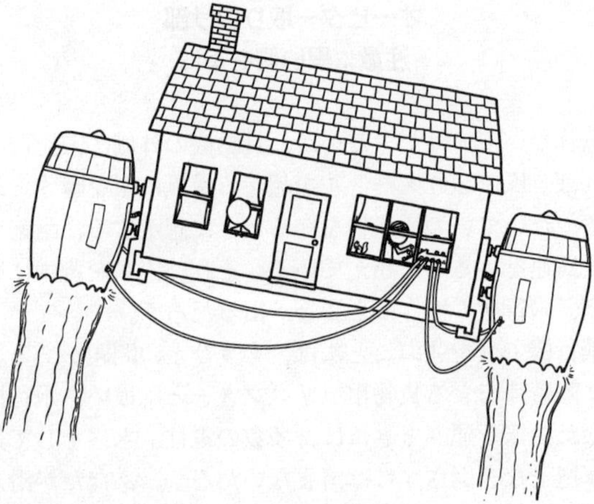

旅客機のエンジンは空中の同じ場所に浮かんでいるのは苦手だろう、と思われるかもしれない。なにしろ、エンジンは燃やすための酸素が必要で、それは前にある大きな吸気口から引き込まなければならないのだから。前方に進むという自らの運動によって支援できないなら、空気の取り込みの効率は低下しそうな気がする。しかし、たいていのターボファン・エンジン（ターボジェットエンジンの前面にファンをつけ、効率を上げ、騒音を抑制したエンジン）が最大の推力を出すのは、まだ静止しているときなのだ。高速ではエンジンの空気取り込みの効率は確かに上がるが、流入する大量の空気で余計な抗力がかかり、エンジンが生み出す余分の推力を相殺してしまう。エンジンのラム効果（ラムと

は、エンジンの空気取入口のこと。エンジンに入る空気が、ラムの影響により加圧されることをラム効果という）が働いて、推力がふたたび上昇に転じるのは、マッハ1近くの超高速になってからだ。

理論のうえでは、エンジンが2個あればあなたの家を空中に持ち上げるに十分だが、安全性と安定性のためには、おそらく3個め、4個めも加えたほうがいいだろう。

オーケー、これであなたの家を空中に浮かべることはできた。では、どれくらい長いあいだ、この状態で浮かんでいたり、飛び回ったりできるだろう？

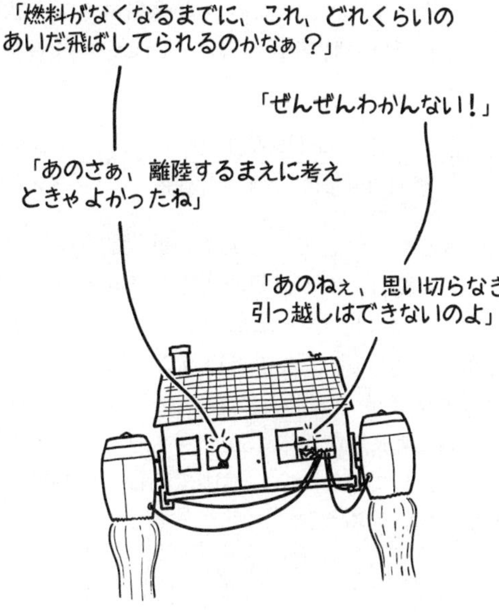
「燃料がなくなるまでに、これ、どれくらいのあいだ飛ばしてられるのかなぁ？」
「ぜんぜんわかんない！」
「あのさぁ、離陸するまえに考えときゃよかったね」
「あのねぇ、思い切らなきゃ引っ越しはできないのよ」

ホバリングしているとき、ジェットエンジンは大量の燃料を必要とする。海面近くで出力全開でホバリングしている場合、エンジン1個につき毎秒4リットル近い燃料を消費している。搭載する燃料を増やせばそれだけ長く空中に留まれるが、同時にそれは、運ぶ荷重が増加することでもある。燃料を搭載しすぎると、重すぎて離陸できなくなるだろう。

この手の乗り物が最大量の燃料を搭載した状態でどれくらい長く空中に留まれるかを知るには、エンジンの比推力（単位質量の推進剤で単位推力を発生させつづけられる秒数）に、その推力重量比（瞬間推力の重量に対する比）の自然対数を掛ければいい。そうすれば、エンジンが燃料満タンの状態から開始してどれだけの時間ホバリングしていられるかの時間が得られる。

$$\text{ホバリング時間} = \frac{\text{エンジン推力}}{\text{燃料の質量流量} \times \text{重力加速度}} \times \ln\left(\frac{\text{エンジン推力}}{\text{エンジン重量}}\right)$$

海水位でホバリングしている大型の近代的なターボファン・エンジンの場合、この計算で得られるホバリング時間は90分強だ。これは、さらにあなたの家の重さを加えると飛行時間は90分以下になるということで、それはエンジンを何個加えようが同じだ。あなたが水平速度を時速100キロ程度に制限しながら150キロメートル以上の距離を移動しようとしているなら、途中で給油のために停止しなければならないだろう。[10]

（10）　飛行中に燃料が切れて墜落しはじめた場合、第５章「緊急着陸をするには」の「落下しつつある家を着陸させるには」を参照のこと。

引っ越し先に着いたら

　新しい家に着いたら――あるいはあなたの元々の家が新しい住所に着いたら――、まだやらなければならない仕事がたくさんある。家を丸々運んできたなら、まずはその家の基礎を作るために穴を掘らなければならない(11)。また、すでに基礎があるときは、あなたの家をその基礎の上に据えつけてしっかりと固定しなければならない。あなたが使いたい基礎の上に別の家が建っている場合は、あなたの家をそこに据える前に、必ず既存の家を取っ払うこと。それには、あなたが行く前に誰か別の人にエンジンを１組持って行ってもらい、あなたの転居先にある家に対してここまでのステップをやってもらえばそれでいい。その家が離陸したなら、ジェットエンジンをすべて全開にし、パイロットは飛び降りること。それから先は、その家のことなど気にすることはない。もはやそれは、他人の問題だ。

引っ越し先に移ったら、熱、水道、電気などの公共サービスの設定をしなければならない[12]（ヨーロッパやアメリカ北部では、地域熱供給のシステムが普及している。一定地区の冷暖房や給湯を地区プラントで集中的・効率的に運転し、各ユーザーに供給する）。あなたが特に公共心が強い場合、あるいは新しいコミュニティーの一員になって嬉しい場合、ご近所に挨拶に回るといいだろう。

荷ほどき

荷物を引っ越し用段ボール箱に詰め込んで運んだなら——特に空輸中にばらばらにならないようしっかり梱包したなら——、あなたには転居先でやるべき仕事が山のようにある。まず家具を据えつけて、あなたの持ち物を入れたり置いたりできるようにしなければならないだろう。そして、荷物が詰まった箱を開きいろいろな物の行き先を決めなければならないが、それには多くの試行錯誤が伴うだろう。

(11)　第3章「穴を掘るには」を参照のこと。
(12)　Q2第16章「家に電気を調達するには（地球で）」を参照のこと。

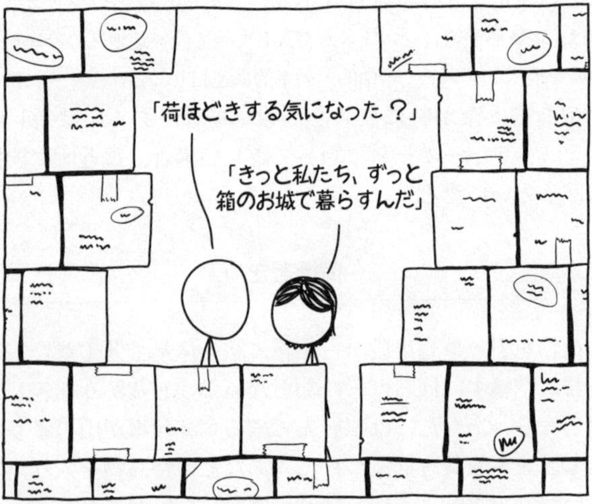

荷ほどきがあまりに厄介だと思われる場合は、おそらく人間が引っ越しを始めて以来ずっと広く行なわれているであろう方法を取るといい。マットレスを床に敷けるだけのスペースを作り、歯ブラシと携帯電話の充電器が入った箱を開けて、あとのことは明日考える、という方法だ。

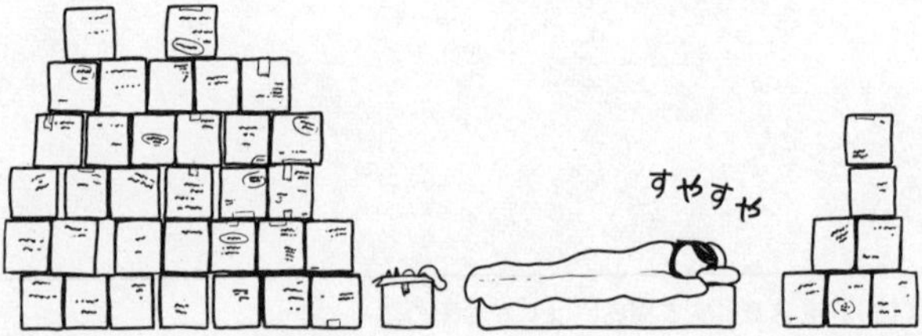

第8章 家が動かないようにするには

新しい家に落ち着いたなら、その家はずっとそこにあってほしいと思うものだ。

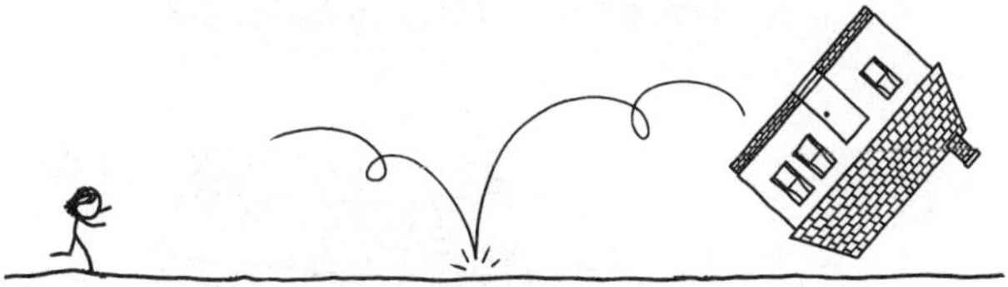

家が風で吹き飛ばされないか、あるいは、どこかのいたずら者がジェットエンジンを取りつけて、轟音とともに家をはるか彼方へ飛ばしてしまわないか心配なら、前出のハリケーン・ストラップを使って、家を基礎にしっかり固定するといい。また、金属製の長い杭を使って、家の基礎を岩盤に固定することもできる。

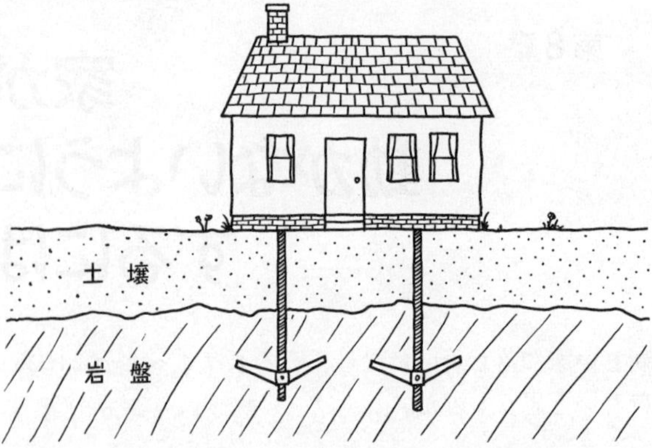

だが、岩盤自体が動いていたらどうなるだろう？

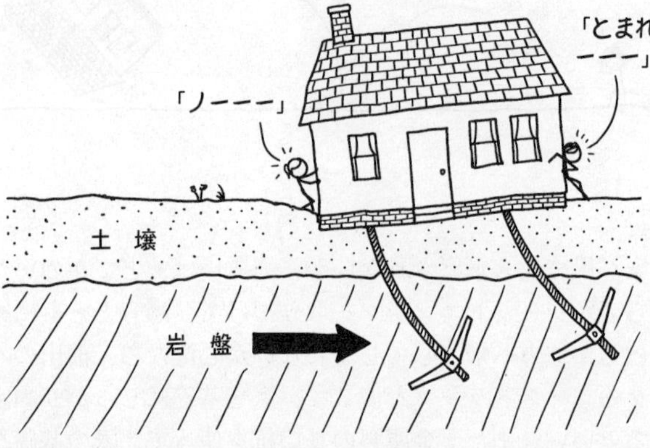

テクトニック・プレートは常に動いている。北米の大部分は、地球のそれ以外の部分に対して、毎年2、3センチ程度のペースで西に動いている。土地の境界線も、当然地

殻とともに動いているだろう。さもなければしごくばかばかしい事態になってしまうだろうから――毎年数センチプレートが動くだけで、たった10年か20年のうちにあなたは家の片側の庭を失うが、反対側では隣人の所有していた庭があなたのものになってしまうだろう。

地理的境界は、座標によって定義されているのではなく、普通は地面に固定されて決まっている。一般的に境界の正確な位置を決める最終的な法的権限は、1組の座標や、境界を決めている取り決めの文章ではない――それは、その取り決めに基づいて行なわれた最初の測量で残されたマーカーと、マーカーが移動したり破損してしまった場合に、各マーカーの位置を再現するために使うことができる、最初の測量を行なった測量技師が作成した文書なのだ。

アメリカとカナダの国境を管理する組織、国際境界委員会は国境の座標を定期的に更新しているが、彼らが座標を公示しても、国境がどこにあるかは変わらない――彼らはただ、国境の位置に関するよりよい情報を提供しているだけだ。実際の国境は「境界標識」――通常は花崗岩でできたオベリスクと地面に打ち込まれた鋼鉄のパイプ――と、写真や測量の情報によって定義される。土地が動くと境界もそれとともに動き、座標の更新が必要になる。

いちいちこのように更新しなくてもすむように、国や組織が使う経緯度グリッドはそれぞれ、互いに少し違うものになっている。これが測地系で、特定のテクトニック・プレートに固定されている。こうしたグリッドはプレートとともに移動し、互いに数メートルかそれ以上異なる場合がある。こうした異なるグリッドのおかげで、どの経緯度座標も、それらがどの測地系のものかに関する多くの情報がなければ不正確であいまいだ。そんな状況は、正確な座標を使う必要のある人にとっては大きな頭痛の種《たね》だろうな、と思われたなら、あなたは正しい。

「座標はこれだ。
スコッティ、
転送してくれ」
ビビビビビッ
「……おい、あれはどの測地系だったんだ？　NAD83、WGS84、NATRF2022のどれだ？」
「あらら」
こちら調査隊。艦長が壁にはまってるんだが、なぜだ？

（訳注：「転送してくれ」はアメリカのSFテレビシリーズ〈スター・トレック〉の有名な科白。NAD83、WGS84、NATRF2022はいずれもアメリカの測地系。NAD83は1983年に改定された北米測地系、WGS84は1984年に改定された世界測地系〔とアメリカが呼ぶ系〕。両者は基準にしている楕円体が異なる。NATRF2022は2022年に施行され、NAD83に置き換わる予定の測地系）

それぞれの大陸に固有のグリッドを使うことで、地面がグリッドからずれていってしまう問題を政府や地主は多少緩和することができる——しかし、それは問題の根本的な解決にはならない。というのも、同じ大陸のなかで、ある部分がほかの部分に対して動くことがあるからだ。

あなたの家がサンアンドレアス断層（カリフォルニア州にある断層）のようなプレートの境界にあるなら、庭の一部がほかの部分に対して毎年2、3センチ動いている可能性があり、境界標識の位置が互いにずれはじめるかもしれない。あなたの庭は徐々に真っ二つに割れてしまうのだろうか？　あなたの家が、あなたの土地から知らぬ間に完全に出て行ってしまう可能性はあるのだろうか？

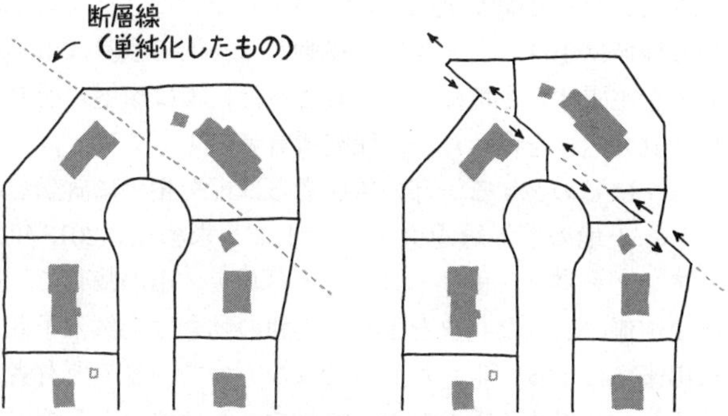

1964年のアラスカ地震では、アンカレッジ市の大部分が約5メートル横にずれた。その結果生じた土地所有権の問題に対処するためアラスカ州は、地面の位置が変わったことに対応できるよう土地の境界線をすべて再測量することを許可する法律を1966年に可決した。カリフォルニア州も、同様の法律であるカレン地震法を1972年に可決し、関係者全員の権利が守られるように境界線を引きなおすよう、土地所有者が法廷に求めることができるようになった。

少なくともアラスカかカリフォルニアに住んでいる人は、これらの法律が、隣人が家の一部の所有権を徐々に奪ってしまうことがないように守ってくれているようだ。しかし、落とし穴がひとつある。法廷は、これらの法律は地面の突然の動きだけに適用され、徐々に進む動きには適用されないという判決を下しているのだ。

1950年代、カリフォルニア州の沿岸部の町、ランチョ・パロス・ベルデスで行なわれた道路建設工事で、ある地域全体が徐々に斜面の下側へと移動しはじめた。じわじわと進む、気味の悪い地すべりである。20世紀の末までにその地域は100メートル近く移動し、一部の家屋は市が所有権を主張する土地に入ってしまった。市は家屋の所有者らに立ち退きを命じたが、住宅所有者アンドレア・ヨアンノーをはじめとする一部の居住者らは市を相手に訴訟を起こし、土地の境界線を引きなおすよう求めた。2013年、ヨアンノー対ランチョ・パロス・ベルデス市の裁判で、法廷は市側に有利な判決を下し、土地の動きは突然の予期せぬ出来事によって生じたものではないので、家の所有者らはそれに対処する手を打つことができたはずだとした。これはおそらく、家を岩盤にしっかりと固定するとか、数年ごとに家を斜面の上まで戻すなどの対策を指しているのだろう。

もしも基盤そのものが動いているなら、あなたは法律的に所有権の所在のあいまいな土地にいることになるかもしれない。近くに正しいと認められている境界標識があり、それがあなたとともに動いているなら、あなたの土地はその標識に固定されているのだと主張することができるだろ

う。つまるところ、境界標識こそ土地の境界を定める最終的な権威なのだから。しかし、境界標識が遠くにしかない場合や、なくなってしまっている場合――よくあることだが――、あなたの土地はより大きなグリッドに相対的に決められた座標でしか定義できず、もしかすると、あなたの所有地は隣人が所有する領域に移動してしまっているかもしれない。

その場合の最善の対処法は、その隣人の家の反対側にある、土地を買えるか打診することだろう。そうしておけば、隣人があなたの家の一部を所有するようになっても、同時に反対側の隣人の家の一部があなたのものになる。

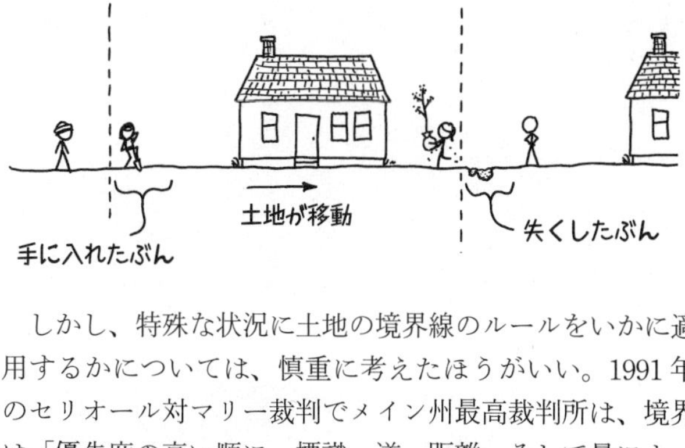

しかし、特殊な状況に土地の境界線のルールをいかに適用するかについては、慎重に考えたほうがいい。1991年のセリオール対マリー裁判でメイン州最高裁判所は、境界は「優先度の高い順に、標識、道、距離、そして量によって決定される。ただし、この優先順位が不条理な結果をもたらさない限りにおいてである」（強調は引用者）と述べた。

もしもあなたが隣人と裁判沙汰になったなら……

「裁判長、この測量によれば、私は彼のトイレを所有しています。ですから、彼が私のサイド・ポーチを返すまでは、彼にはトイレを絶対に使わせません」

……それが裁判に値するかどうかの判断は裁判官次第、ということらしい。

竜巻を追いかけるには
(ソファに座ったままで)

「ぼくも嵐や竜巻の追跡をやってみたいんだけど、別に急いじゃいないし、このソファ、ほんとに居心地いいんだよなぁ」

座って十分長いあいだ待てば、いつかは竜巻があなたのところにやってくるだろう。これは、EF-2以上の強い竜巻があなたの真上を通過するまでに、平均でどれだけ待たなければならないかを示した地図だ。

(出典: CATHRYN MEYER ET. AL., "A HAZARD MODEL FOR TORNADO OCCURRENCE IN THE UNITED STATES," 2002)

(訳注:EF-2は改良藤田スケールと呼ばれる、EF-0からEF-5まである竜巻の強さの尺度の1段階で、風速50～60メートル級の竜巻に相当する)

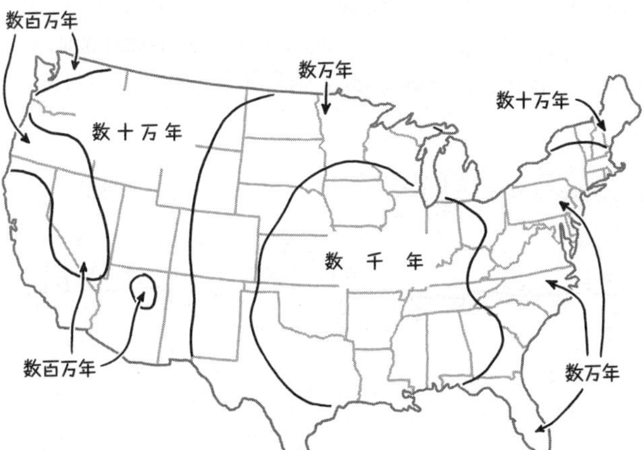
数百万年
数万年
数十万年
数十万年
数千年
数百万年
数万年

第9章 溶岩の堀を作るには

家の周りに溶岩の堀を作りたくなる理由には、実用的なものからあまりそうでないものまで、いろいろとある。あなたはおそらく、泥棒を防ぎたい、アリが入ってこないようにしたい、あるいは冷《さ》まそうとして窓辺に置いたパイを近所の子どもたちに盗まれたくない、などと思っているだろう。あるいは、自宅を「中世の悪の大立者《おおだてもの》」的美意識にこだわった景観にして、近隣の人々、消防署、そして土地区画規制委員会にちょっとした興奮を味わってもらいたい、という人もいるかもしれない（プレイヤーが仮想世界のなかで各種の要素を自由に配置して建築などを行なう、Minecraft というゲームがあり、そこでは、溶岩の堀を作ることがよくあるらしい。それとはまた別に、https://www.youtube.com/watch?v=r8xfzeD0ZK4 に、著者がこの章を要約した動画がある〔2021 年 11 月現在〕）。

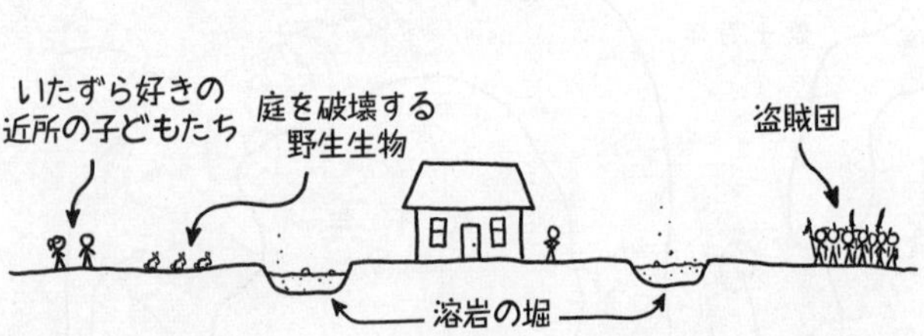

溶岩を作る

じつのところ、少なくとも理論的には、溶岩を作るのはとても簡単だ――材料は石と熱だけなのだから。

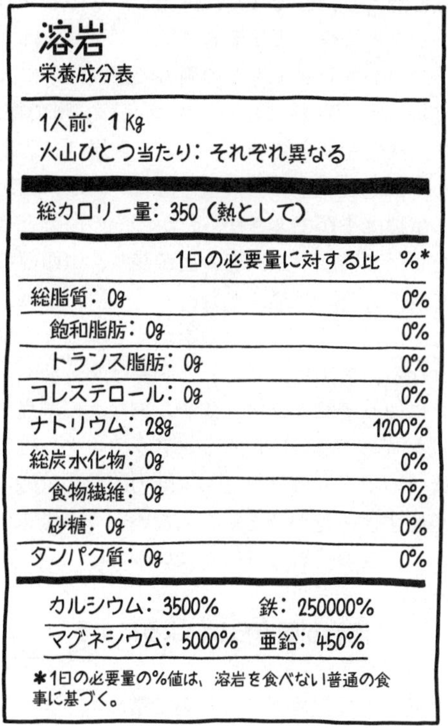
溶岩
栄養成分表
1人前：1Kg
火山ひとつ当たり：それぞれ異なる
総カロリー量：350（熱として）
1日の必要量に対する比　%*
総脂質：0g　0%
飽和脂肪：0g　0%
トランス脂肪：0g　0%
コレステロール：0g　0%
ナトリウム：28g　1200%
総炭水化物：0g　0%
食物繊維：0g　0%
砂糖：0g　0%
タンパク質：0g　0%
カルシウム：3500%　鉄：250000%
マグネシウム：5000%　亜鉛：450%
＊1日の必要量の%値は、溶岩を食べない普通の食事に基づく。

たいていの岩は、800℃から1200℃で溶ける。家庭用オーブンではここまで熱くできないが、高温炉、木炭を使う鍛造炉、あるいは巨大な拡大鏡を使えば届く温度だ。

溶岩を作る実際の材料としては、そのあたりに転がっている石を手あたり次第使ってみてもいいが、注意が必要だ。石のなかには内部に封じ込められている気体のせいで、熱せられると溶けるだけでなく、爆発したりするものもあるからだ。シラキュース大学溶岩プロジェクトでは、地質学の研究とアートプロジェクトの両方で使うために人工溶岩を作っているが、材料にはウィスコンシン州で採れる10億年前の玄武岩を使っている。この玄武岩は、北米大陸の芯の真ん中に亀裂が生じ、大量の溶岩があふれ出たときにできた。亀裂はやがてふさがったが、その傷跡として、三日月形をした高密度の玄武岩の層が残り、中西部の土壌の下に埋まっている。

あなたがただ、すべてのものを燃やしてしまう堀を作りたいだけなら、火山岩にこだわる必要はまったくない。ガラス吹きに使う溶融ガラスの類《たぐい》や、銅などの融点が都合のいい金属を試してもいいだろう。アルミニウムは融点が銅よりも低いので、堀の材料として魅力的だが、融けはじめる温度が低すぎて光がほとんど出ない——不気味に輝いていなければ、真の溶岩とは言えないのでは。

溶岩が固まらないようにする

溶岩は光と赤外線放射のかたちで常にエネルギーを放出しているので、溶岩を溶けた状態に保つのは難しい。常に熱を供給しつづけないと、溶岩はすぐに冷えて固まってしまう。つまり、ただ材料を溶かして溶岩を作り堀に流し込んで、これで今日の仕事は終わり、というわけにはいかないのだ。冷えて固まるのを防ぐために、熱エネルギーを定常的な流れとして供給しつづけ、失われたエネルギーを補わなければならないのである。

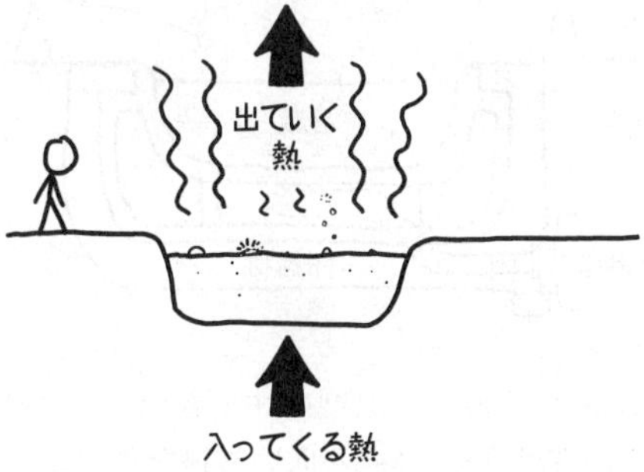

あなたの堀には、何らかのかたちの加熱装置を組み込まなければならない。

溶岩の堀とは、言ってみれば、浅くて長くふたのない、高温の炉のようなものだ。このようなタイプの産業用炉はガス加熱式のものが多いが、高温加熱コイルを使う電熱式のものもある。ガス加熱式のほうが圧倒的に低コストだろうが、電熱式のほうが構造が単純で、より正確に温度をコントロールしやすい。しかし、熱源の種類によらず基本設計は同じで、溶岩を入れる「るつぼ」と、るつぼを温める加熱コイルまたはガスバーナー、そして、それを取り巻く断熱材からなる。

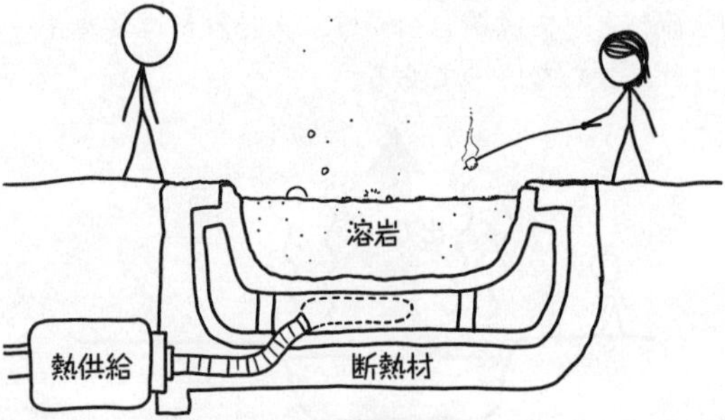
溶岩
熱供給
断熱材

溶岩は、どれくらいの温度にすべきだろう？　エネルギー消費を抑えるため、融点の低い材料を選ぶこともできるが、温度が低すぎると堀が不気味に輝いてくれない。

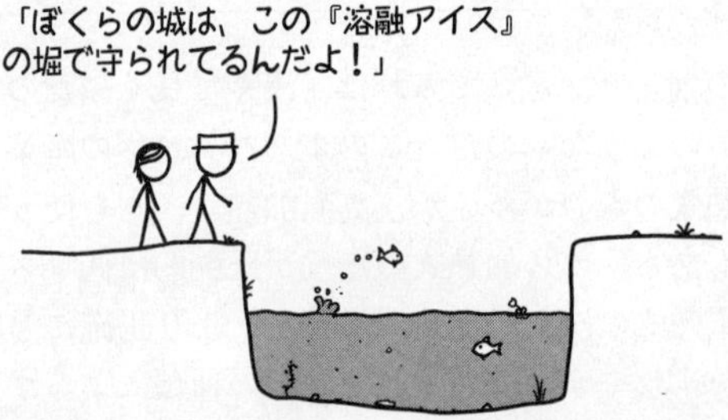
「ぼくらの城は、この『溶融アイス』
の堀で守られてるんだよ！」

物体が熱で輝くためには、その温度は約600℃よりも高くなければならないし、もしもあなたが映画で見る溶岩のような、文句なしに素晴らしい、昼間でもはっきり見える明るい橙黄色《とうこうしょく》をお望みなら、温度は約1000℃より高くないとだめだろう。

ある温度に達した溶岩がどれだけのエネルギーを放射するかを見積もるには、実際の溶岩流に関する研究を参照するといい。そこから、溶岩を固まらせないためにはどれだけのエネルギーを供給しなければならないかがわかるはずだ。

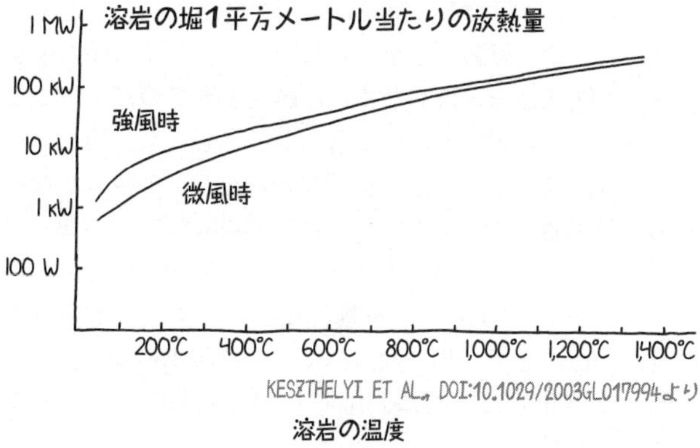
溶岩の堀1平方メートル当たりの放熱量
1 MW
100 KW
10 KW
1 KW
100 W
強風時
微風時
200℃
400℃
600℃
800℃
1,000℃
1,200℃
1,400℃
KESZTHELYI ET AL., DOI:10.1029/2003GL017994より
溶岩の温度

上のグラフから、900℃の溶岩のプールは、１平方メートル当たり約100キロワットの熱を放出することがわかる。仮に電気代が１キロワット時当たり0.1ドル（約10円）だったとすると、900℃の溶岩を電気で温めるなら、１平方メートル当たり少なくとも毎時10ドル（約1000円）かかる。あなたの堀が幅１メートルで、１エーカー（約4000平方メートル）の土地を取り囲んでいるなら、堀の溶岩が固まらないようにするために、毎日６万ドル（約600万円）がかかる。

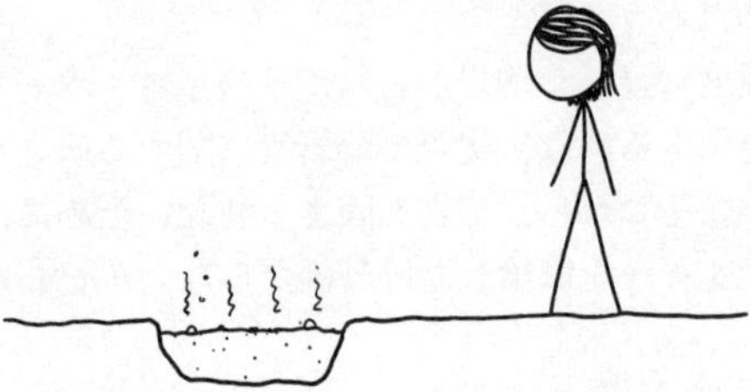

1メートルの堀など、侵入しようとする人間を阻止するには狭すぎると思われるかもしれない[1]。そのくらいの距離など、人間はさほど苦もなく跳び越えられるのだから。だが、たとえ彼らが堀のなかに落ちないとしても、溶岩の熱は十分危険である。溶岩の表面付近の熱は、1秒もしないうちに第Ⅱ度火傷（表皮のみならず、真皮にまで及ぶ火傷）を起こすに十分なほど強烈である。溶岩に近づくことすら難しいだろう。2、3メートル離れたところに立っている人に及ぶ熱流にしても相当なものだ——消防士の安全指針によれば、露出した皮膚に、10秒以内に痛みを生じさせるのに十分な熱である。

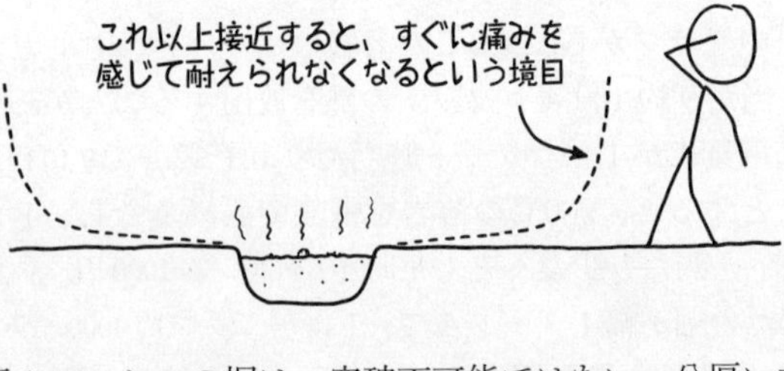
これ以上接近すると、すぐに痛みを
感じて耐えられなくなるという境目

幅1メートルの堀は、突破不可能ではない。分厚い衣服とブーツを身に着けた人は、堀のなかに落ちたり、堀のどちらかの縁に長居したりしなければ、この堀を無傷で跳び越えられるだろう。

堀の幅を広げるか、溶岩の温度をさらに上げるかすれば、堀を跳び越える人を阻止できるだろう。どちらの方法でも、次の料金表に示すように、電気代は上がるだろうが。

溶岩堀加熱費用の目安
（1エーカーの土地を囲む堀の例）

幅 ＼ 温度	600℃	900℃	1200℃
1m	2万ドル	6万ドル	15万ドル
2m	4万ドル	12万ドル	30万ドル
5m	10万ドル	30万ドル	75万ドル
10m	20万ドル	60万ドル	150万ドル

冷　却

ここまでは、溶岩を温めるコストだけを議論してきた。しかし、この溶岩の堀に囲まれて暮らすのなら、家を冷や

（1）　溶岩の堀は、アリを遠ざける効果はあるが、溶岩コオロギを寄せつけてしまう恐れがある。溶岩コオロギ（学名 *Caconemobius fori*）は冷（さ）めたばかりの溶岩流の上、または近くに生息する。溶岩コオロギは研究が困難で――ご想像のとおり――、あまりよく知られていない。

すことも真剣に考えなければならない。堀と家が相当離れているとしても、やがては溶岩の熱放射で、家のなかは暑くて不快になるだろう。家の外壁と堀の距離が10メートルの場合、窓のそばに立つと、放熱量は消防士の熱暴露限界を超えてしまうだろう。

溶岩の量は同じままで底の深い堀にすれば、上向きに放射される熱が増えるので、家に届く熱の量を減らすことができる。しかし、これでは根本的な解決にはならない。堀の周囲の土はなおもかなり熱く、そこからあなたの家に向かって熱が放射されるからだ。風があるときは、溶岩から風下に向かって、風が高温の気流を運ぶだろう——そして、風がどちら向きに吹いていようがあなたは常に風下にいることになるという、溶岩の堀特有の問題がある。

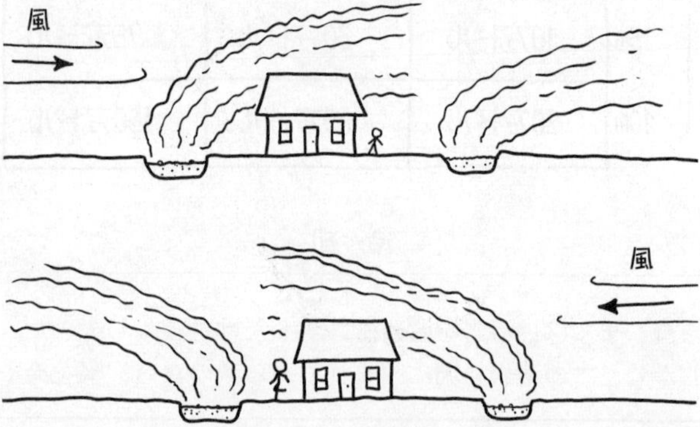

さいわい、家を冷やすのは堀を温めるより簡単だ。近くに湧き水や川などの冷水源があるなら、家の壁に水を通せ

ば、余分な熱を運び去ってくれるだろう。水は熱容量が大きいので多くの熱を蓄えることができ、これを利用して微々たる排水費用で大量の熱が除去できるわけだ。この作戦は、IT 企業がサーバー室の冷房に長年使っている。たとえばグーグルはフィンランドの沿岸部にデータ・センターを置き、海水で冷房している。

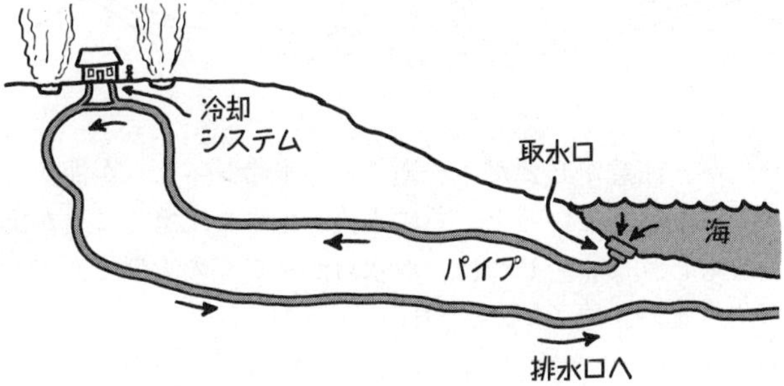

さらに、堀の外側から空気を通して、換気もしたほうがいいだろう。溶岩が毒ガスを発生するような成分の場合は特にそうだ。ありがたいことに、ここでは溶岩の熱が助けになる――堀の下に通気トンネルを掘れば、溶岩から生じる上昇気流が下側を通るトンネルを通して空気を吸い上げてくれるだろう。この「自然通気」効果は原子炉の上に建てられた産業用冷却塔で利用されており、冷気を取り入れる換気扇はあまり必要なくなることが期待される。

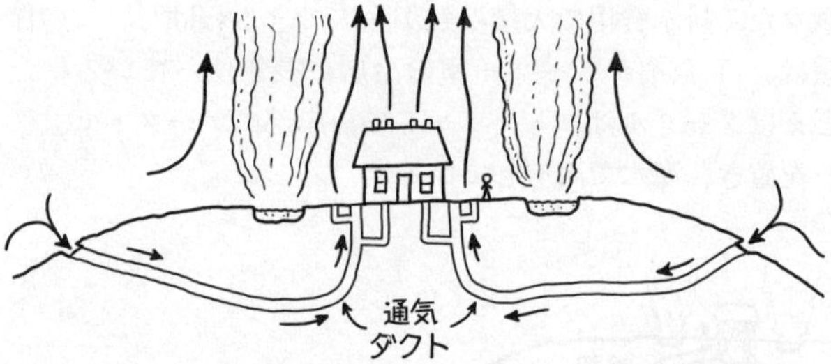

だが、注意が必要だ――あなたの水冷システムが海から水を取り込んでいると、急に水流が止まって驚くことがあるかもしれない。じつは、取水口がクラゲの大群でふさがってしまい、原子炉が緊急停止するのは珍しくないのである。

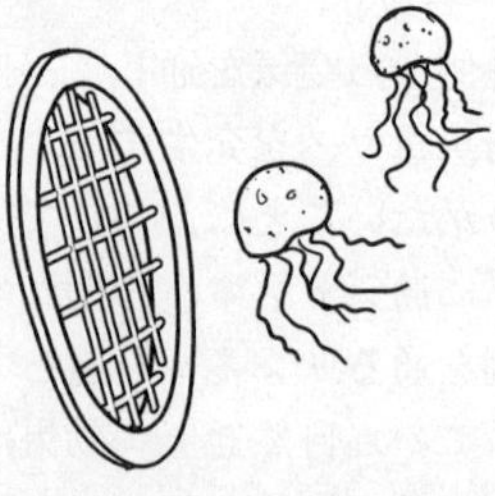

クラゲは、溶岩の堀が持つ、いっそう深い問題を指し示しているのかもしれない。溶岩の堀を作ることで家に新たな防護設備ができる一方、堀を作ることでさらなるインフラが必要になり、それ自体がまた別の問題をもたらす、と

いう。

クラゲで取水口が詰まるだけでも十分困ったことだが、悪の大立者が出てくるようなストーリーの観点からすると、家の下の通気ダクト網のほうがもっと注意が必要だろう。なぜなら、多くのアクション・ムービーから私たちが学べることがあるとすればそれは……

……潜入者はいつも、結局通気孔からやって来るということなのだから。

第10章　物を投げるには

有名な伝説によれば、ジョージ・ワシントンは1ドル銀貨を大きな川の向こう岸まで投げたそうだ。

ワシントンにまつわる多くの逸話がそうであるように、この話も彼の死後広まったもので、詳細を確認するのは難しい。投げたのは1ドル銀貨だとも石だともいうし、川もラッパハノック川とも、もっと幅が広いポトマック川ともいう（どちらもアメリカ東部を流れ、首都ワシントンDCの東にあるチェサピーク湾に流れ込む大きな川）。はっきり言えるのは、人々はワシントンについて話をするのが大好きで、また「さしたる理由もなく川の向こう岸に何かを投げる」のが英雄的な行動と考えられていた、ということだ。

川の対岸に1ドル銀貨を投げられることが、なぜ大統領にふさわしい資質なのかははっきりしないが、人々は感心したようだ。彼が亡くなるまでこの話が広まらなかったのは残念だ。というのも、選挙のポスターが非常に面白くなっていただろうからだ。

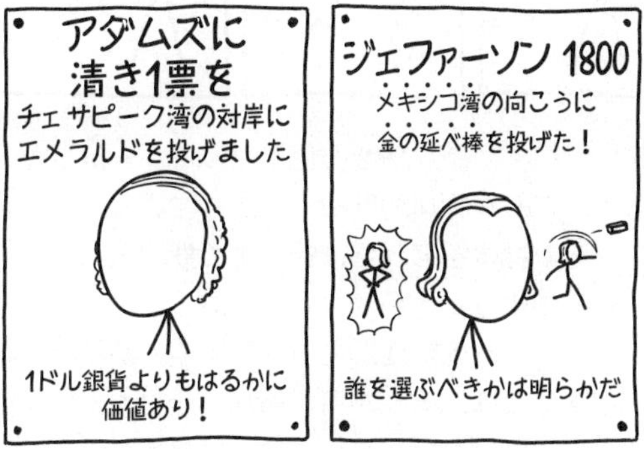

（訳注：ジェファーソンが大統領となった1800年の大統領選は「1800年の改革」とも呼ばれ、Jefferson 1800という文字は今もTシャツなどに見られる）

ワシントンは、何をどの川の対岸に投げることができたのだろう？　ほかの大統領や大統領でない人たちに比較して、彼の能力はどれくらいなのだろう？

ある人間が何かを投げるときに何が起こるか、その本質だけ書いてみるとこうなる。

1　人が物体を持つ

2　???

3　物体が飛び去る

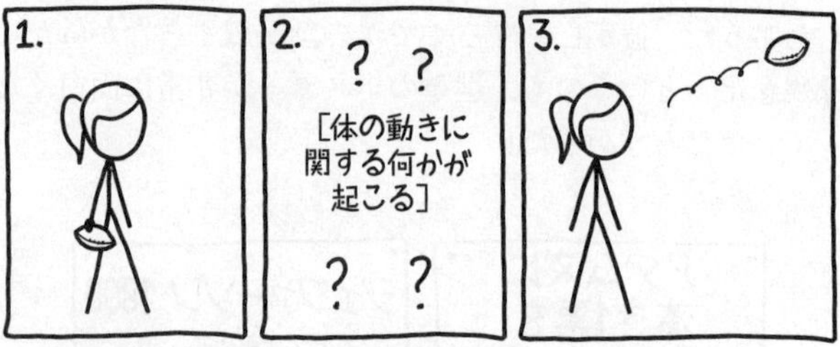

妙な話だが、ステップ2で何が起こるかわからなくても、人と物体にどんな物理的制約がかかっているかを見れば、その人がその物体をどれだけ遠くまで投げられるか、かなり正しく推測することができるのである。

人体の大きさには限度がある。投げる人が投げる物に対して行なうことは、それが何であれ、その人の体を取り囲む小さな領域のなかで起こらなければならない。

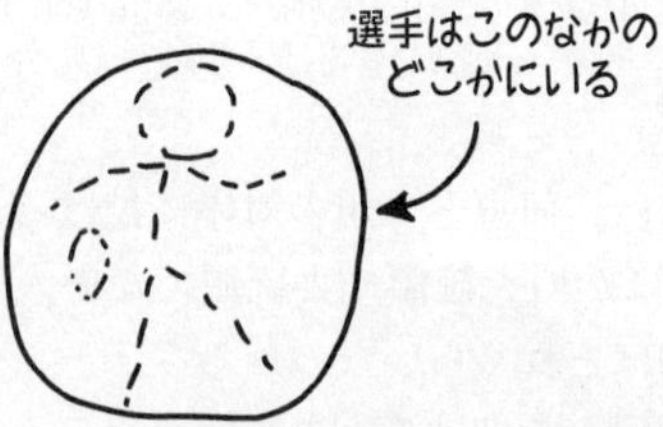

物を投げるためには、投げる人が筋肉を使ってその物体を加速しなければならないが、人体が一度に出せる筋力（ここでは仕事率、すなわち単位時間あたりに行なえる仕事の量と

して筋力を表す）は限られている。ボート競技から自転車、短距離走までのさまざまなスポーツで、一流選手が物体に対して一度の動作で――たとえばオールのひとかきなどで――力を及ぼすときの仕事率は普通、体重1キログラム当たり約20ワットだ。このことから、体重60キロの選手がボールを投げるときの仕事率は1200ワットぐらいだろうと推測できる。

投げる人は「全身を使って投げる」と仮定しよう。つまり、ボールを手から離すまでのあいだ、体の周囲の短い距離にわたって、全身が出せるすべての筋力（この章では、働いているあいだ筋力は一定だと仮定し、計算では筋力を終始一定の仕事率で表すことにする）を物体に及ぼすと考えるのだ。

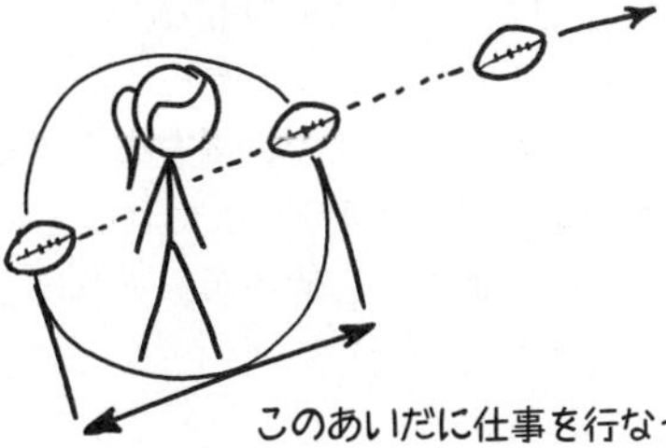

この仮定のもとで、仕事率が一定の場合の運動の方程式[(1)]を使えば、ボールの最終速度を次のように計算することができる。

$$\text{最終速度} = \sqrt[3]{\frac{3\times\text{離すまでに手でボールを動かす距離}\times\text{体重}\times\text{単位体重当たりの仕事率}}{\text{ボールの質量}}}$$

この式にMLB（アメリカ野球の大リーグ）のピッチャーの

平均体重（95キロ）、ボールの質量（150グラム）を代入し、さらに離すまでに手でボールを動かす距離は投手の身長（188センチ）に等しいと仮定すると、ピッチャーが投げる直球の速さをざっと見積もることができるだろう。

$$\text{最終速度}=\sqrt[3]{\frac{3\times188\text{cm}\times95\text{kg}\times20\frac{\text{W}}{\text{kg}}}{150\text{g}}}\fallingdotseq150\text{km/h}$$

時速150キロというのはほぼ正確に、フォーシーム・ファストボール（日本で言う直球。ボールが1回転するあいだに縫《シ》い目《ーム》の線が4回通過するのでこの名がある）の平均速度そのものだ！　投手のことなどまったく考えずに導出された方程式からの結果としては、なかなかのものだ。

同じ式に、アメリカン・フットボールのクォーターバックの体重とフットボールの球の質量を代入すると、答は時速108キロになる。速くて時速97キロ超という、実際のフットボールのパスより少し速いが、それほど外れてはいない。

（1）　初歩的な物理学の授業では一定の力のもとで運動を解析するのが普通で、学生たちはそこに出てくる方程式を何度も目にするので、たいてい暗記してしまう。だが、一定の仕事率のもとでの運動に関する方程式は指数や係数がそれらの式とは違うのだが、あまり知られていない。仕事率が一定のときの運動を表す一連の方程式は、オーバリン大学のロイド・W・テイラーによる「一定の仕事率のもとでの運動の法則（“The Laws of Motion Under Constant Power”）」という1930年の論文に簡潔に示されている。

$$\text{最終速度}=\sqrt[3]{\frac{3\times190.5\text{cm}\times102\text{kg}\times20\frac{\text{W}}{\text{kg}}}{425\text{g}}}\fallingdotseq108\text{km/h}$$

悲しいことに、私たちが出した答が結構正確なのは、おそらく単なる偶然だ。なぜなら、このモデルにはひとつ問題があるからだ。

私たちの方程式によれば、極端に軽いボールはいくらでも速く投げられる。重さ15グラムの野球のボールは時速320キロで投げることができることになってしまう！　実際には、野球のピッチャーは仕事率のすべてをボールだけに与えるわけにはいかない――ボールと同時に、自分の手と腕も高速になるまで加速しなければならないのだ。

手の速度の限界を説明するためには、小さな「調整因子」を付け足すといい。具体的には、ボールにほんのすこし重さ――ピッチャーの体重の1000分の1に等しい重さ――を足し、手の最も速い部分を代表させるのだ。こうしておけば軽い物体を投げるときの速度に上限ができ、重い物体の場合の結果をあまり変えることなく、現実に一致させることができる(2)。

これを空気中を飛ぶ投射物が到達する距離の近似式(3)と組

(2)　この方程式から、ここでは野球のピッチャーの投球速度はわずか時速130キロほどという結果が出るが、別の場合にはうなずける数値が得られる。こうした食い違いが生じるのは、投球時にピッチャーが前に飛び出すことにより、ピッチャー自身に前進速度が加わり、投球が終わるまでに体が移動する距離も少し長くなるからかもしれない。ともあれ、これは極めてシンプルなモデルなのである――現実との多少の食い違いは深追いしないことにしたい。

み合わせて、次の3つの式で表される、「物体をものすごく遠くまで投げる人間に関する統一理論」なるものを構築することができる。

$$v=\sqrt[3]{\frac{3\times\text{投げる人の身長}\times\text{投げる人の体重}\times\text{体重1kg当たりの仕事率}}{\text{ボールの質量}+\frac{\text{体重}}{1000}}}$$

体重 1kg 当たりの仕事率：スポーツ選手の場合 20W/kg、
普通の人の場合 10W/kg

$$v_t=\sqrt{\frac{2\times\text{ボールの質量}\times\text{重力加速度}}{\text{断面積}\times\text{空気の密度}\times\text{抗力係数}}}$$

$$\text{到達距離}\fallingdotseq\frac{v^2\sqrt{2}}{\text{重力加速度}\sqrt{\frac{4}{5}\frac{v^4}{v_t^4}+3\frac{v^2}{v_t^2}+2}}$$

v = 投げる速さ（物体が人間から離れる直前に達する最終速度）、

v_t = 物体が空気中を飛んで達する終端速度

このモデルは完璧ではない。扱いにくい方程式が1組、

---

(3) この方程式は、ピーター・チュディノフの「2次抗力をともなう媒体における投射物の軌跡にかんする近似分析（"Approximate Analytical Investigation of Projectile Motion in a Medium with Quadratic Drag Force"）」という2017年の論文で示された近似に基づいている。投射物の密度が十分高いか、あるいは空気が十分疎な状態であるならこの式からは、45度の角度で投射された物体が到達する標準的な距離の方程式（到達距離＝v^2/g）と同じ値が得られるが、空気抵抗がより大きくものを言う高速度の場合には、得られる距離は小さくなる。

それも入力変数は数個しかないし、仮定は極めて単純なので、近似以上のものではあり得ない。物を投げることに関するもっと詳細な力学モデルを使ったり、投げる人に関するもっと正確なデータを使えば、はるかに正確な方程式を作ることができるだろう。しかし、モデルをもっと正確にすると、適用できる対象の範囲は狭くなってしまう。この統一理論の一番の面白さは、何にでも使えることだ。何についての値を入れても使えてしまうのである。

もちろん、これを使ってフットボールのクォーターバックがボールをどのくらい遠くまで投げられるかを見積もることができる。NFL（ナショナル・フットボール・リーグ）で繰り出されるパスの最長レベルのものは空中を70ヤード（約64メートル）近く飛ぶが、私たちの方程式からは、これにかなり近い値が得られる。

（NFLのクォーターバックがボールを投げる）
→73ヤード（約67m）

だが、同じ式は、クォーターバックが他の物体をどこまで投げられるかを計算するのにも使える。重さ約5.2キロの、バイタミックス社製、プロ750ミキサーならどれだけ飛ぶかを見てみよう。

（NFL のクォーターバックが 5.2 キロのミキサーを投げる）
→18 ヤード（約 17m）

必要なのはミキサーの重さ、形、そして抗力係数がだいたいどれくらいかということだけだ。

投げる人もクォーターバックに限らない。身長と体重が推測できる人なら誰でもいい。

（元大統領バラク・オバマがオリンピックの槍投げ競技で使う槍を投げる）→30 メートル

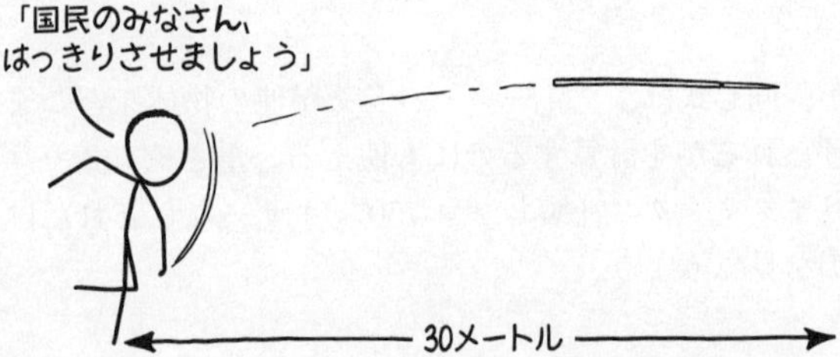
「国民のみなさん、
はっきりさせましょう」
30メートル

**（歌手のカーリー・レイ・ジェプセンが
電子レンジを投げる）→3.7メートル**

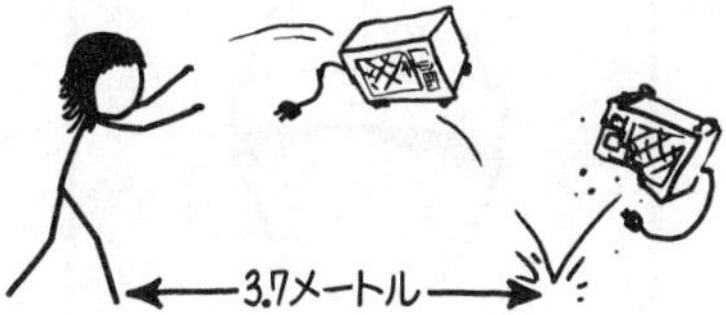

私のウェブサイトの“Throw”のページ（xkcd.com/2198/）（2021年11月現在）にこの計算で遊べる計算機があるので、ぜひご覧ください。

この式と、あなたの身長、体重、そして運動能力のレベルを使って、ご自分がいろいろなものをどれくらい遠くまで投げることができるか、計算できる。

私に清き一票を
私の計算が正しければ、
理屈のうえでは、私はホッチキスを
あのリフレクティング・プールの
向こう側に投げることができます。
（まだ試していません）

（訳注：リフレクティング・プールとは、景観のために建物の前に作られる大きな人工池で、その建物の姿を水面に映し、美しさを引き立てるためのもの。議会議事堂やリンカーン記念堂前のものが有名だが、ここで言及されているのもそのどちらかかと思われる）

ワシントンの逸話

私たちが作ったモデルから、ジョージ・ワシントンが1ドル銀貨を対岸に投げたという逸話について、何がわかるだろう？

ワシントンが優れた運動能力を持っていたことはよく知られており、また、彼は物を投げるのを好んだ——バージニアのナチュラルブリッジというところにある、その名の由来ともなった天然橋の下を流れる川から橋の上に石を投げたと伝えられている。そこで、彼の体重1キログラム当たりの仕事率は15W/kgだと仮定しよう。すると彼は、普通の人と訓練を受けたエリート・プロ選手とのちょうど中間に位置することになる。

1ドル銀貨の抗力係数は、どのように投げられたかによって異なる。表裏が交互に上下になる向きに転がりながら飛んでいるなら抗力係数は大きくなるが、フリスビーのように常に同じ面を上にしてスピンしながら飛ぶなら、勢いの損失は少ない。

(ジョージ・ワシントンが1ドル銀貨を投げる
〔転がりながら飛ぶように〕)→54メートル
(ジョージ・ワシントンが1ドル銀貨を投げる
〔スピンしながら飛ぶように〕)
→142メートル

ラッパハノック川でワシントンが銀貨を投げたとされる場所では、川幅はたった113メートルだ。うまくスピンさせれば、彼がほんとうに対岸に銀貨を投げることに成功した可能性はある（ポトマック川は川幅550メートルなので、広すぎる）！　このことがわかって以来、これまでに多くの人がラッパハノック川で銀貨投げを成功させている。1936年、引退したプロ野球のピッチャー、ウォルター・ジョンソンは、ラッパハノック川の対岸まで118メートル、1ドル銀貨を投げることに成功した。その前日、1塁手のルー・ゲーリッグは、ハドソン川の川幅122メートルの地点で対岸に1ドル銀貨を見事に投げた。

私たちのモデルは、ひとつの近似に過ぎない。だが、それが提供する答は現実からそうは離れていないようだし、「投げる」などのような複雑な行為について、これほどわずかな初歩的な物理学の知識だけで、多少なりとも現実的な答を出せるのは素晴らしい。

少なくとも、得られる答はある意味では現実的である。あらゆる意味でそうだとは言えないかもしれないが。

（カーリー・レイ・ジェプセンが
ジョージ・ワシントンを投げる）→90センチ

第11章 フットボールをするには

「フットボール」と呼ばれるスポーツはたくさん存在し、複雑な系統樹ですべてつながっている。

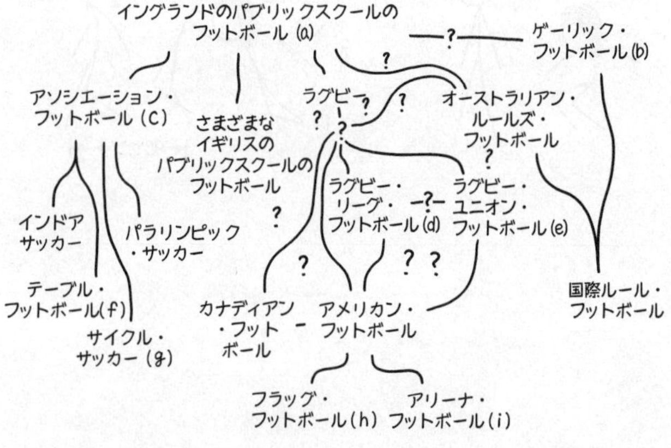

※以下は訳注。
(a) 16～17世紀に近代的なフットボールの基盤が形成された。
(b) アイルランドの国民的スポーツ。
(c) サッカーのこと。
(d) 1チーム13人。
(e) 1チーム15人。アマチュア主義にもとづく報酬制限もラグビー・リーグとの大きな相違だったが、報酬制限は現在撤廃されている。日本で言うラグビーはこちらのルールのもの。
(f) 日本で言うテーブルサッカー。盤上の選手を操って遊ぶ。
(g) 自転車で行なうサッカーに似たゲーム。

(h) タックルの代わりに腰につけた旗を取る、安全重視のフットボール。
(i) 室内でできるようルールを改定したアメリカン・フットボール。

自分がどの種類のフットボールをやっているのかわからない場合は、ほかの選手に聞いてみるか、みんなが何をやっているかを観察し、状況から推測してみるといい。

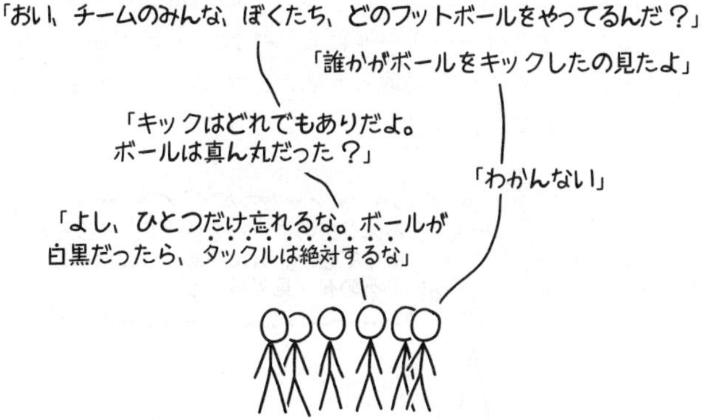
「おい、チームのみんな、ぼくたち、どのフットボールをやってるんだ？」
「誰かがボールをキックしたの見たよ」
「キックはどれでもありだよ。ボールは真ん丸だった？」
「わかんない」
「よし、ひとつだけ忘れるな。ボールが白黒だったら、タックルは絶対するな」

ほとんどの種類のフットボールに、共通点がたくさんある。12人かそこらの選手からなるチームがふたつ、大きなフィールドの両端に分かれて対抗し、互いに相手のチームの側のゴールにボールを入れようとする。また、ほとんどすべての種類のフットボールで、試合のどこかでキックをすることになっている。しかし、ボールに体のどの部分で触れていいかは、種類ごとに異なる。

フィールドには大勢の選手がいるが、一般に、一度にボールに触れられるのはそのうちひとりだけなので、あなたにはボールに対処する必要もなしにフィールドを走り回っていられる機会がふんだんにある。ただ忙しそうに見えるよう最善を尽くしていればいいし、ボールに近づかない限り、誰もあなたに気づかないかもしれない。

そのうち誰かがあなたにボールを渡そうとするかもしれない——アメリカン・フットボールをやっていて、ポジションがクォーターバックなら、頻繁にそうなる。あるいは、走り回るのにも飽きたあなたが飛んでいるボールをキャッチするか、または——ルールによっては——、ボールを抱えて走っている人から横取りするかしてボールを奪おうと決めることもあるかもしれない。

みんなあのボールを持って、すごく興奮してるぞ。なんであんなに大騒ぎしてるのか、見てやろう。

あなたがボールを手にしたなら、誰もがあなたに注目し、多くの人が奪おうとするだろう。そのプレッシャーに耐えられなければ、同じチームの誰かに渡してしまえばいい。

「こっちだ！　こっち、フリーだよ！」
「いまさらひとに渡せるか？　あんなに苦労して手に入れたんだ！」
「じつに美しい……」

あなたがやる気満々なら、自分で点を取ろうとがんばってみるといい。多くのスポーツと同様、フットボールでもこれを成し遂げる一般的な方法は単純だ。ゴールにボールを入れるのである。

ボールをゴールに叩き込む

ある種のフットボールでは、離れたところからボールを飛ばしてゴールに入れれば点が取れる。その方法には、投げる、キックする、あるいは体のほかの部分を使うなどがある。

（訳注：トレビュシェットは中世ヨーロッパの戦争で使われた大型投石器）

ボールを直接ゴールに投げたりキックしたりする方法は、もしかすると使えないかもしれない。そのような方法で得点することがルールで禁じられている場合があるのだ――アメリカン・フットボールでは、クォーターバックがただ単純にボールを投げてゴールを通過させることはできない（ときどきそうしたくなるに違いないだろうが）。

ボールをキックする、またはボールを投げてゴールに入れてみようと決めたなら、ゴールまでの距離とボールの重さを確認して、第10章「物を投げるには」を参照してほしい。

ボールをゴールに直接飛ばすことが許されているタイプのフットボールでは、遠く離れたところから投げるのは、あまり効果的ではないかもしれない。たとえばサッカーでは、ゴールキーパーが敵のゴールにボールを投げ込むのはルール上まったく問題ないが、実際にはそんなことはめったに起こらない。ゴールキーパーがそれほど遠くまでボールを投げようとすると、たいていボールは途中で地面にバウンドしたり転がったりしてスピードが落ち、敵のゴールキーパーがボールをキャッチするのに十分な時間を与えてしまうからだ。

点は取りたいが、自分が今いるところからボールを投げるのは無理だと思うなら、自分でボールをゴールまで持っていかなければならないだろう。

自分でボールをゴールまで運ぶ
「とても危険なことになりそうだし、どうしたらいいかもわからないけれど、このぼくがボールをゴールまで運ぶよ」
「ぼくの剣も持っていけよ」
「私の弓も」
「おれの斧も！」
「このなかに、ルールで認められた道具じゃないものがありそうな気がするんだがなぁ」

距離だけを考えれば、歩いて敵のゴールまでボールを運ぶのはほんの1分ぐらいしかかからないだろうし、軽く駆け足で行くならもっと速いだろう。

「フンフンフーン」

だが、ご注意を。ほかの選手たちは協力してくれないだろうから――敵のチームの選手は特に。

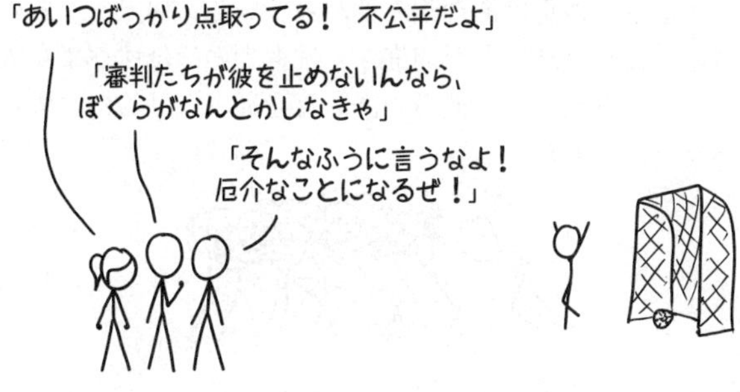
「あいつばっかり点取ってる！　不公平だよ」
「審判たちが彼を止めないんなら、ぼくらがなんとかしなきゃ」
「そんなふうに言うなよ！　厄介なことになるぜ！」

敵のチームは、あなたがゴールに辿り着かないように、ゴールとのあいだに選手を配置するかもしれない。あなたがほかの選手よりもずっと大きくて強くないかぎり、困ったことになるだろう。しかも、あいにくフットボールのチームはたいてい、大きくてなおかつ強い人々で成り立っているものだ。彼らをうまくよけて回り込もうとしてみてもいいが、それは意外に難しい――フットボール選手は結構足が速く、しかも、その手の小細工をする人がいることは承知しており、そんなことはお見通しなのだ。

「あいつの進路をふさいでやろうよ」
「やつがよけて進んだらどうする？」
「しまった、そのこと考えてなかった」
「よし、あいつが進路を変えたら、こっちも動こう」
「ややこしくなってきたな」
「書いとく？」

敵のチームが、あなたがゴールに達するのを阻止しようとしているなら、走るスピードを上げても無駄だ。フットボール選手の体重はあなたと変わらないし、何人もいるのだから、彼らはあなたが前進する推進力のほぼすべてを吸収してしまうだろう。彼らのあいだを通り抜けるには大量のパワーが必要だ。

敵チームの選手が作る壁を通り抜けるひとつの方法は、あなたの重さ、スピード、パワーを増すための対策を取ることだ。

非常に大きな馬に人間が乗っているとき、その全体の重さは、アメリカン・フットボール1チーム全体の重さにほぼ等しい。また、馬のスピードは速く、推進力の点で有利になる。したがって、これでかなり楽に相手チームを押し分けて進めるようになる。

FIFA（国際サッカー連盟）が定める公式のサッカー規則、「サッカー競技規則」には、「馬」という言葉は含まれていない[(1)]ので、映画『エア・バディ』（超自然的な球技の能力を持つ犬が登場する映画作品で、『エア・バディ2』では犬がアメリカン・フットボールをする）と同じ理屈がこねられる。つまり、「試合で馬を使ってはならない」という規則はないと主張できそうである。用具に関しては、ある種のものを禁止する規定がいくつかあるが、馬は用具ではない――馬は馬だ。

審判たちは、あなたの主張に納得しないかもしれない。馬にまたがってフィールドに入ったなら、彼らがあなたを阻止しようとする可能性は十分ある。審判は普通、選手より小柄で、人数も選手より少ないが、それでもあなたがゴールに達するために押し分けなければならない集団をより大きくするのは間違いない。また、彼らがあなたのゴールは無効だと判断する可能性が高いが、この時点ですでに、あなたはおそらくその権利を失っているだろう。

（1）　NFLの規則には、実際に「馬（horse、ホース）」という言葉が含まれているが、「ホースカラー・タックル」（訳注：ボールを持っている選手の襟首をつかんで後ろに引いて行なうタックル。馬の手綱を引くようなかたちになることから命名された）という反則について述べているだけである。

馬は人間よりはるかに大きく、行く手をはばむ人間を何人も蹴散らすことができるのは間違いない。しかし、大きな馬１頭にとってさえ、人間の大集団は障害としてあまりに大きすぎ、突破できないこともあるだろう。

映画『ロード・オブ・ザ・リング』３部作の最後のヤマ場にあたる決戦で、どこまでも広がっているかのようなオーク（この映画に登場する、人間ではない種族）の大群をなぎ倒しながら駆け抜ける馬たちが映っている。スピードを落とすことなしに、馬にこんなことができるのだろうか？

じつのところ、この問いには空気抵抗の式を使って答えることができる。ただしここでは、空気の代わりにオークについて計算する。

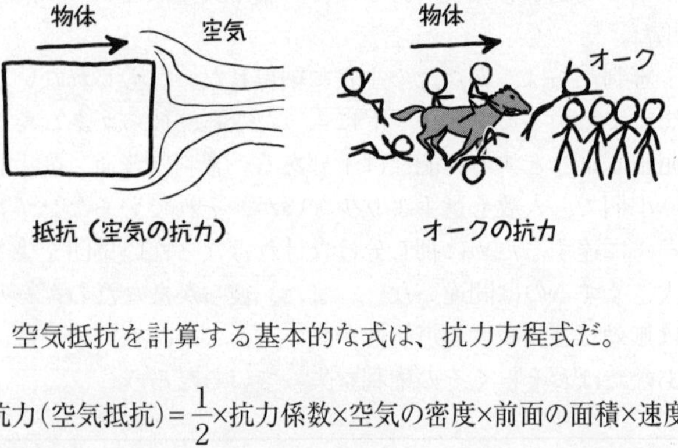

空気抵抗を計算する基本的な式は、抗力方程式だ。

$$抗力(空気抵抗)=\frac{1}{2}\times抗力係数\times空気の密度\times前面の面積\times速度^2$$

ある物体が空気中を飛ぶとき、その物体は空気の分子とぶつかるので、それらの分子を押しのけて進まなければならない。ある意味で抗力方程式は、飛ぶ物体が通過しなければならない空気の総質量と、それだけの空気が持っている運動量を表しているとも考えられる。

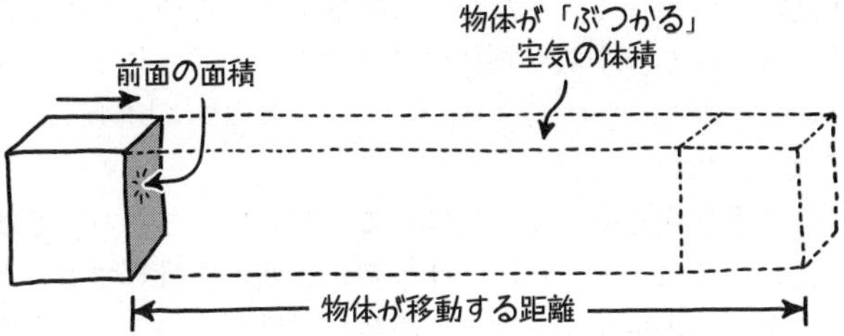

抗力方程式の主な部分は、この図から導き出すことができる。(2) 物体の速度が上がると、物体が1秒間に衝突する空気の分子の数が増加し、しかも、これらの空気分子の物体に対する相対速度も上がる。抗力方程式で速度を2乗して

---

(2)　ある程度物理学の授業を受けている人がこの図をじっくり見つめたなら、抗力方程式になぜ1/2という数が出てくるのかと、疑問に思うかもしれない。抗力係数は単位を持たない任意の尺度なので、すべての抗力係数を2倍すれば、1/2はいらなくなる。スポーツ物理学者のジョン・エリック・ゴフ（訳注：リンチバーグ大学の物理学教授でスポーツの物理学を研究し、一般向けの本も出版している）は、物体に衝突する空気の分子が持つ運動量に注目して抗力方程式を導出すると、係数は1/2ではなく1か2のほうが自然だと感じるだろうと指摘している。だが、空気の分子が持つ運動エネルギーに注目して抗力（空気抵抗）を考えると、運動エネルギーの式の係数1/2が入ってくるのは不自然には感じないだろう。物理学者たちは後者の考え方で説明することが多い——抗力方程式は衝突する空気の「動圧」を表しているというわけだ（訳注：動圧は単位体積当たりの流体の運動エネルギー）——が、権威ある物理学者の全員が同意しているわけではない。フランク・ホワイトの教科書『流体力学』（Frank White, Fluid Mechanics〔未訳〕）では、1/2という係数を単なる「オイラーとベルヌーイへの伝統的な表敬」と呼んでいる。

いるのはこのためだ。ある物体の速度が2倍になると、それは1秒間に2倍の空気にぶつかり、しかも、その空気も速度が2倍になる。したがって毎秒空気が物体に及ぼす力積――つまり、空気が物体に及ぼす力（「力積=力×その力が働いている時間」なので、1秒間に及ぼされる力積は力に同じ）――は4倍になる。

この方程式を使って、物体がこの抗力に打ち勝って速度を維持するにはどれだけの仕事率が必要かを計算することができる。エネルギーは力に距離を掛けたもので、仕事率は1秒間に使うエネルギーなので、物体が抗力に打ち勝つのに必要な仕事率は、抗力に、物体が1秒当たりに移動する距離を掛けたものに等しい。1秒当たりに移動する距離とはすなわち速度なので、仕事率は抗力に速度を掛けたものに等しい。すでに私たちは、抗力を得るのに速度の2乗を掛けているので、仕事率を得るにはもう一度速度を掛けなければならない。

$$仕事率 = \frac{1}{2} \times 抗力係数 \times 空気の密度 \times 前面の面積 \times 速度^3$$

指数の3から、物体の速度が上がるほど、その物体が抗力に打ち勝つために必要とする仕事率は急激に増加することがわかる。

面白いことに、これと同じアプローチを使って、1頭の馬がオークの集団を押し分けて通過するのに必要なエネルギーがどれくらいかを見積もることができる。オークを非常に大きな分子からなる均一な気体として扱うのだ。

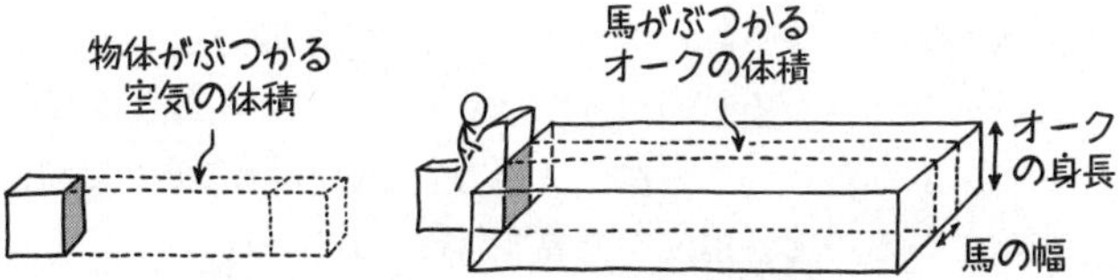
物体がぶつかる
空気の体積
馬がぶつかる
オークの体積
オーク
の身長
馬の幅

先ほどの方程式を馬とオークのケースに適用すると、次のような仕事率の方程式になる(3)。

仕事率=オークの集団の密度×オークの体重×馬の胸の幅×速度^3

注意：この式では、1/2という係数と抗力係数はなくなっている。その理由は、前面が湾曲している物体が、それに衝突すると相互作用せずに跳ね返る分子（オークは跳ね返る）から成る「気体」中を運動するときの抗力係数は、約2になるからだ（1/2と2を掛け合わせれば1なので）。

先ほどの映画の場面では、オークはだいたい1平方メートル当たりひとりの密度で立っていたようだ。オークひとりの体重は約90キログラムで、馬の幅は胸のあたりで76センチ、そして時速40キロメートルの襲歩《しゅうほ》（ギャロップ）で駆けているとすると、次のように計算される。

$$\frac{1\text{オーク}}{\text{m}^2}\times\frac{90\text{kg}}{\text{オーク}}\times 0.76\text{m}\times\left(40\,\frac{\text{km}}{\text{h}}\right)^3 \fallingdotseq 97\text{kW}$$

---

(3)　この馬にかかる空気抵抗力にかんする方程式には物理学上の通称はないが、正直なところ、あったらあったでひどく妙なことだと言わざるを得ない。

1頭の馬が100キロワットほどのパワーを出しつづけられるだろうか？ それを判断するには、1頭の馬がどれくらいのパワーを出しつづけられるものなのかを知る必要がある。ありがたいことに、「馬力」という単位がすでに存在しているので、単位を換算すればそれでいい。

97kW≒130馬力

130馬力というのは、1頭の馬にはとうてい無理だ。馬は短時間なら1馬力を超える仕事をすることができる——1馬力という単位は長時間にわたって行なわれた仕事に対して定義されている——が、馬が短時間に出せる最大のパワーは10馬力とか20馬力で、映画で見た圧巻の突破を実際に行なうにはとても足りない。もっと小さなパワーでオークの軍勢を突破させるには、馬のスピードが速歩《はやあし》（トロット）程度にまで落ちている必要があるだろう。

オーク抵抗の式は、あなたが馬に乗って突破したいと思う可能性のあるフットボール選手、審判、そしてその他の敵の大軍にも適用することができる。選手の集団を馬に乗って突破しようとするなら、あなたはスピードを落とさなければならないが、それは敵にはチャンスとなるだろう。彼らはあなたに対して身構え、あなたの馬に登って馬が重さに耐えられなくなるようにしたり、あなたの脚をつかんで鞍からフィールドまで引きずり下ろし、伝統的な方法でタックルしたりできるだろうから。

「ノー！ このボールはぼくのだ！
絶対に渡すもんか！」

どの奇策でもそうだが、馬の作戦も、それに対して備える機会が敵にできてしまえば効力を失う。あなたの作戦をかぎつけたなら彼らは、地面に長い槍を何本も突き刺しておく、フィールドに深い溝を掘る、あるいはあなたの馬の気を逸らすために戦略的に好物を配置するなどの、対馬防衛手段を講じておくことができる。

「コーチ、敵のロッカールームから、
馬のいななきが聞こえました」
「よし、われわれは騎兵誘導作戦を実施する。
ジョンソン、ゾーンをカバーしろ。スミス、
センターを走って、つやつやの赤いリンゴを掲げて、
優しくなだめるように話しかけろ」
「了解」

しかし、フィールド上の選手は数が限られているので、ディフェンス・ラインの隙間をねらえば、2、3回衝突するだけで突破できるかもしれない。全速力でギャロップする馬に走って追いつける人間はいないので、ディフェンスを越えられたなら、ゴールまで何の障害物もなく進めるだろう。

第12章 天気を予測するには

明日はどんな天気になるだろう？

自分がいる場所の天気について話すとき、「[ここにその場所の名称を入れてください］の天気が嫌なら、5分待て」という古いことわざがよく使われる。気の利いた言い回しはすべてそうなのだが、このことわざもマーク・トウェインの言葉とされることが多い。この例ではおそらく彼は実際にそう言ったのだろうが、そうでないとはっきりしたなら、ドロシー・パーカー（20世紀のアメリカの詩人、短篇作家）かオスカー・ワイルドの言葉だと言われるようになるだろう。

温帯地域ではどこでも、みんながこの言い回しをしょっちゅう使っているが、それは天気が絶えず変わり、どういうわけか私たちはそれにいつも驚いてしまうからだ。(1)この地域の天気の変化は予測が難しいが、誰もが天気に対処しなければならないので――私たちはみんな一緒に大気の底にとらわれている――、ともかく予測してみるわけだ。

---

(1) 私たち人間は、変わっていてあたりまえのものごとがそのとおりに変わっているのを見て驚きがちである。私は赤ん坊を連れた友人に会うといつも、「あれっ、この前会ってからまた大きくなったね！」と声を掛けたくてたまらなくなる。どうも心のどこかで、赤ん坊は大きさが変わらないか、または時が経つにつれて小さくなると期待しているらしい。

天気を予測する方法には、さまざまなものがあり、的中率もまちまちだ。現代の最善の気象予測法では高度なコンピュータモデルを使うが、まずは基本的な昔からの方法、つまり、あてずっぽうで予測する方法を見てみよう。

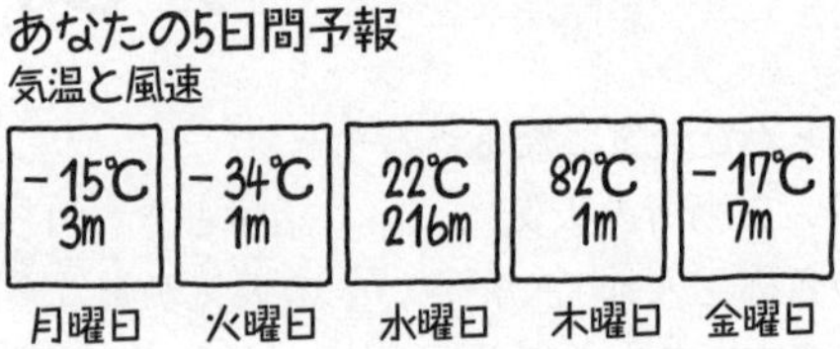
あなたの5日間予報
気温と風速
－15℃
3m
－34℃
1m
22℃
216m
82℃
1m
－17℃
7m
月曜日
火曜日
水曜日
木曜日
金曜日

これではあまり使えない。

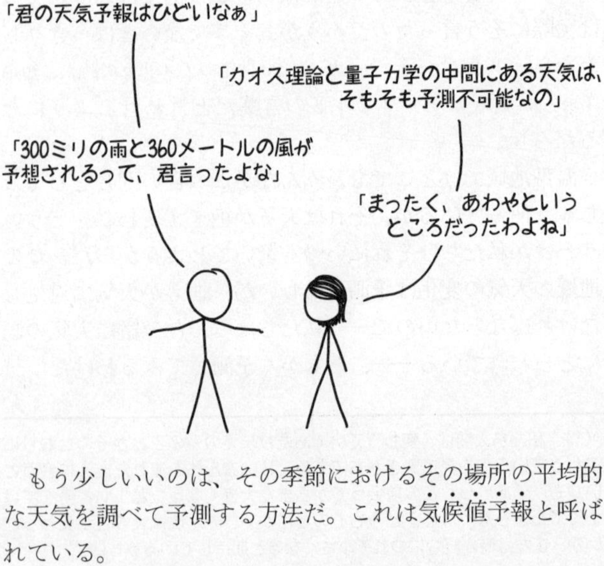
「君の天気予報はひどいなぁ」
「カオス理論と量子力学の中間にある天気は、そもそも予測不可能なの」
「300ミリの雨と360メートルの風が予想されるって、君言ったよな」
「まったく、あわやというところだったわよね」

もう少しいいのは、その季節におけるその場所の平均的な天気を調べて予測する方法だ。これは気候値予報と呼ばれている。

熱帯地方のように天気があまり変わらないところでは、これはなかなかいい方法だ。たとえば、ハワイのホノルルでは7月中旬の平均最高気温が31℃なので、これを使って来年の7月の予報をすることができる。

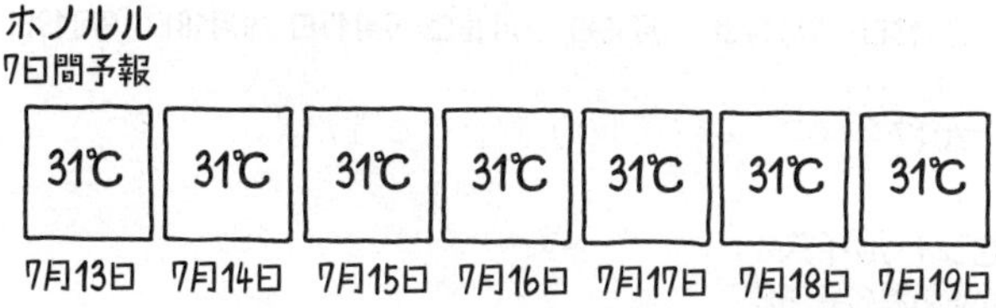
ホノルル
7日間予報
31℃
31℃
31℃
31℃
31℃
31℃
31℃
7月13日
7月14日
7月15日
7月16日
7月17日
7月18日
7月19日

ハワイで最近——2017年——、ちょうどこの日付に測定された実際の最高気温の記録は、次のようなものだ。

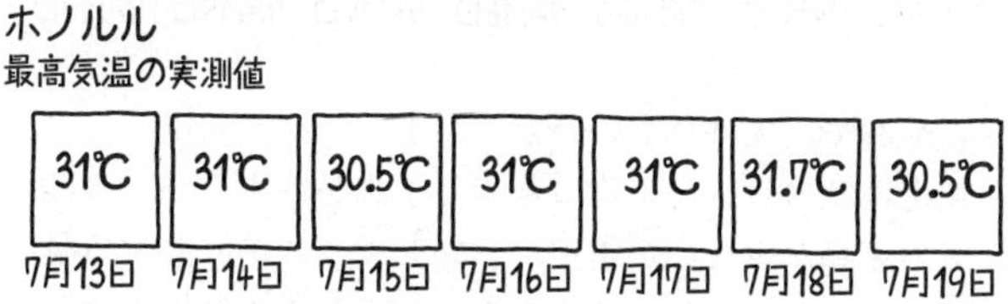
ホノルル
最高気温の実測値
31℃
31℃
30.5℃
31℃
31℃
31.7℃
30.5℃
7月13日
7月14日
7月15日
7月16日
7月17日
7月18日
7月19日

素晴らしい！　私たちの「予測」はなかなか正しいではないか。7日間のうち4日も正確に気温を予測したし、1℃以上外していない。気象予報士としての名誉と富の日々が、私たちを待ち受けている。

では、この素晴らしい方法を9月のミズーリ州セントルイスに対して使ってみよう。9月中旬の平均最高気温は26℃なので、これを使って予報してみよう。

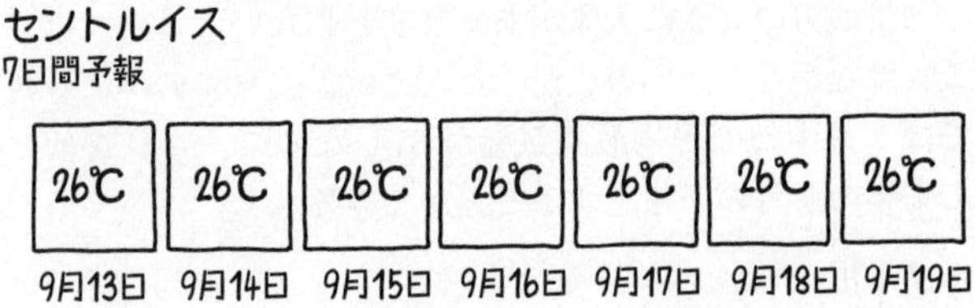
セントルイス
7日間予報
26℃
26℃
26℃
26℃
26℃
26℃
26℃
9月13日
9月14日
9月15日
9月16日
9月17日
9月18日
9月19日

2017年のこの7日間の実測値はこうだ。

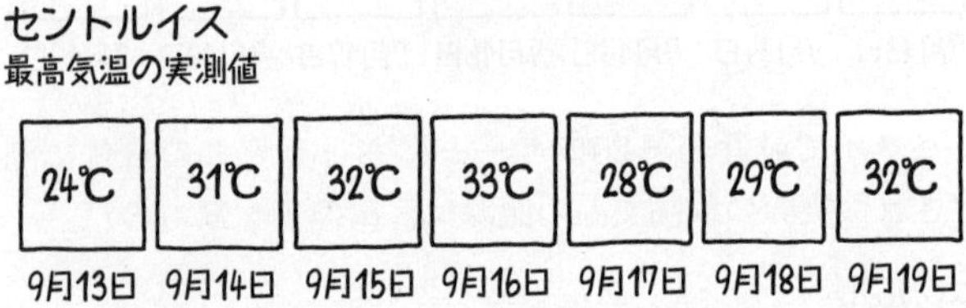
セントルイス
最高気温の実測値
24℃
31℃
32℃
33℃
28℃
29℃
32℃
9月13日
9月14日
9月15日
9月16日
9月17日
9月18日
9月19日

おやおや。大外れもいいとこだ！

熱帯地域のほうが平均に基づく予測がうまくいくのは、天気の変動が少ないからだ。セントルイスが位置する温帯地域[2]では、ゆっくり移動する大きな高気圧や低気圧の動きが、天気を決める最大の要素なので、そこから長期の猛暑や突然の寒波、そして多くの不平不満が生まれるのである。

全体としては、平均値に基づく予測は戦略としてまずかったようだ。だが、いい戦略に話を進める前に考えてみたほうがいい、まずい戦略がもうひとつある。それは、今現在の天気を見て、それが決して変わらないと考える方法だ。

これはばかばかしく聞こえるかもしれない。なにしろ、

(2)　2019年の時点では。

天気は常に変化する。しかし、天気はそれほど速くは変化しない。もしも今、雨が降っているなら、今から30秒後にも雨が降っている可能性は高い。もしも今、異常に暑かったなら、1時間後も異常に暑い可能性はかなりある。この理屈を使って予測をすることができる——今現在の天気を確認すると、それがあなたの予報になる。これは持続予報と呼ばれている。

ごく短期間の予測なら、持続予報のほうが平均値に基づく予報よりもうまくいき、長期間の予測なら、平均値に基づく予報のほうがうまくいく。天気のパターンが一度に数日間にわたって持続するような地域では、持続予報のほうが役に立つ。一方、ある日の天気が、次の日がどんな天気になるかにほとんど何の関係もないような地域もある。そのようなところでは、平均値に基づく予報のほうが役に立つ。

コンピュータ

第二次世界大戦後に続くコンピュータ時代の幕開けに、数学者ジョン・フォン・ノイマンはコンピュータを使った天気予報を実現するプロジェクトを立ち上げた。1956年までに彼は、天気予報は3つの種類に分けられるだろうと判断した。短期予報、中期予報、そして長期予報だ。この3種類で必要とされる手法はそれぞれまったく異なり、中期予報が最も困難になるだろうと、彼は正しく見抜いた。

短期予報は、今後数時間または数日間の予報をする。この範囲で天気を予報するには、十分なデータを収集し、それを使ってたくさんの計算をすればいい。大気は、比較的よく知られている流体力学の法則にしたがって活動する。大気の現在の状態を測定できるなら、それがいかに進化するかというシミュレーションができる。こうしたシミュレーションは、今から数日間の天気を高い精度で予報してくれる。

この種の予報は、大気の状態に関してより多くの情報を集めることにより向上させることができる。それには気象観測気球、測候所、飛行機、そして海洋気象ブイなどからのデータを総合する。またコンピュータの計算能力を高め、より高い解像度の数学モデルが使えるようにして、シミュレーションを改善することもできる。

だが、予報を数週間の中期に拡張しようとすると、ある問題にぶつかる。

コンピュータを使った天気予報に取り組んでいたエドワード・ローレンツは1961年、ひとつのシミュレーションを、わずかな違いしかない2組の初期値——たとえばある場所の気温が10℃と10.001℃など——で実行すると、出てくる結果がまったく異なることに気づいた。最初はとても気づかないほどわずかの差だが、その小さな差は次第に大きくなり、気象モデルの系のなかをどんどん広がっていく。ついには、元々は初期値がわずかに違うだけだったふたつの系は巨視的に見て似ても似つかないものになってしまう。彼は、このことを表すバタフライ効果という言葉を作った——世界の片隅で羽ばたいている蝶が、やがて地球の反対側の嵐の進路を変えることもあるという考え方を表したものだ。この考え方からのちに生まれたのがカオス理

論である。(3)

天気はカオス的な系なので、中期予報——1カ月、または1年後の天気がどうなるか——には根本的に不可知な部分がかなりある。エルニーニョ（赤道付近の太平洋東部で海面水温が高い状態が1年以上続く現象）や太平洋十年規模振動（太平洋各地で、海水温や気温の平均状態が数十年スケールで周期的に変動する現象）など、季節の変化を進める周期の長い変動がいくつか発見されており、これらの現象は次の季節の全般的な傾向を予測する手掛かりを提供してくれる。しかし、10月1日に雨が降るかどうかを、5月1日に予測するのは不可能だろう。

長期予報は数十年から数百年という長期間にわたる予報で、現在、気候変動予測として注目されている。遠い未来までには、カオス的な日々の変動は平均化され、気候は主に長期的なエネルギーの入出力によって決まる。根底にあるカオスが系を混乱させる可能性があるため、完璧な気候予測はおそらく不可能だが、平均して事態がどのように変化するかは、ある程度自信を持って予測することができるだろう。大気に注《そそ》ぎ込む日光の量が増えれば、平均気温も上がるだろう。大気中のCO_2の量が低下すれば地表から逃れ出る赤外放射の量が増え、気温は下がるだろう。ありとあらゆるフィードバック・ループが関係しており、なかには私たちがまだ完全には理解していないものもあるが、系の基本的な振舞いは原理的に予測可能である。

(3)　そして『ジュラシック・パーク』に描かれているとおり、どういうわけか、人間を食べるたくさんの恐竜を生み出した。

以上をまとめると、天気予報の3つの種類は、次のように特徴づけることができるだろう。

- **短期予報**：十分優れたシミュレーションがあり、ほぼ完全に予測できる。
- **長期予報**：確かな予測をするのは難しいが、平均としての予測は可能。
- **中期予報**：文字通り不可能だろう。

かつて人々は、天気予報が外れたと文句ばかり言っていた。もちろん今でも天気予報は外れるが、文句は少し減ってきているのではないだろうか。コンピュータ・シミュレーションとデータ収集法を改善されるにつれて、短期的な予測――5日間天気予報のもとになるもの――は着実に精度を上げている。2015年までには、5日間予報は1995年の3日間予報と同じくらい正確になっていた。20世紀中ごろ、2、3日を超える先までの天気予報は、単純な持続予報や平均値に基づく予測――コンピュータをまったく使わない予報――と変わらなかった。今では、最善のコンピュータ・モデルがこれらの単純な方法をはるかに凌駕し、9から10日先の状況さえ予測できるようになっている。

総じてこの50年間、天気予報は10年に1日ずつ向上してきた。1時間に1秒のペースだ(4)。物理学の計算からわかることだが、シミュレーションに基づく天気予報の本質的

(4)　物理学者を困らせたければ、「『1時間あたり1秒』という速度の単位は、SI単位系でいうとラジアンだよ」と言ってやるといい。

な限界は、数週間程度の範囲だろう。それを超えると、系に内在するカオス的な性質のために予測は不可能になる。

だが、天気を予測するのに、コンピュータは必ずしも必要ではない。

夕焼け

通説によれば、天気は空の色に基づいて予測できる。「夕焼けは船乗りの喜び。朝焼けは船乗りにとって警告」という言い回しがよく知られている。

この説は、いろいろと形を変えながら、長きにわたって流布している――聖書にもそのひとつが記されている[(5)]。それほど長く存続している理由は、少なくとも世界の特定の地域では実際に役立つからだ。夕焼け法は赤い雲そのものに関係あると思われるかもしれないが、そうではない。むしろそれは、太陽を使って地平線の向こう側の大気のレントゲン写真を撮り、あなたの頭上の雲をスクリーンにして、そこにそのレントゲン写真を映しているようなものなのだ！

(5)　「あなたたちは、夕方には『夕焼けだから、晴れだ』と言い、朝には『朝焼けで雲が低いから、今日は嵐だ』と言う」マタイによる福音書16章2～3節（新共同訳）。

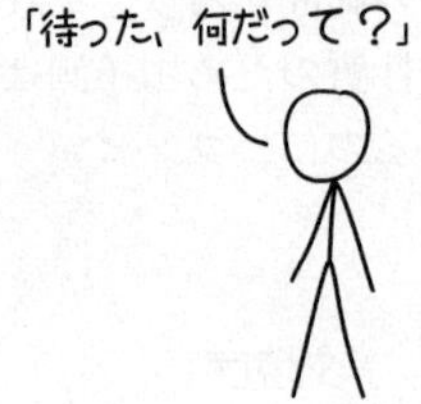

温帯地域では、気象の状況は普通西から東へと移っていく。その動きはそれほど速くない——一般的に天気は自動車が走るくらいの速さ、もしくはそれ以下で地球の上を動いていく。したがって、1500キロほど西にある嵐は、翌日以降にならなければあなたのところにはやってこない。地球が湾曲していることと、大気によってかすむせいで、西側にある雲はあなたには見えない。もしも見えたなら、天気予報はもっと楽になるだろう。

「夕焼け」を使う天気予報は、太陽を使ってこの問題を回避している。赤い光は波長が長く、波長が短い青い光よりも遠くまで空気の層を通過することができる。太陽が西に沈むとき、その光はあなたの頭上の雲に当たるまでに空気中を何百キロメートルも進んでくるが、そのあいだに非常に赤くなる。短い波長の青い光は空気で反射して、四方に拡散してしまうのだ。空が青いのはこのためだ。空は青い光を反射するのである。白い雲はすべての色の光を反射するので、赤い光に照らされれば、雲そのものも赤く見える。

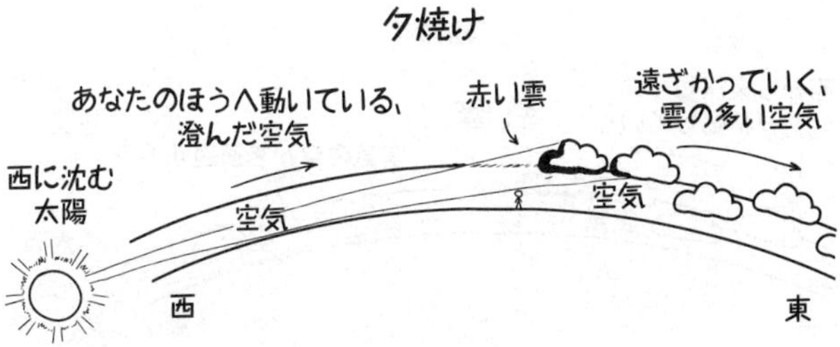

西に嵐の雲があれば、太陽の赤い光はあなたに届く前に遮られてしまい、日没は特に赤くは見えない。

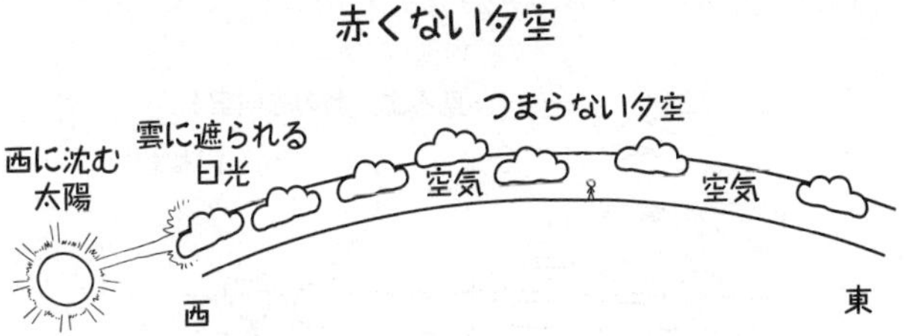

一方、日の出のころにあなたの東側数百キロにわたって空気が澄んでいれば、日光はその距離を通過してあなたの頭上の空に達し、空を赤く染める。頭上に雲があれば、太陽の赤い光に照らされて、見ごたえのある素晴らしい日の出となる。

朝焼け

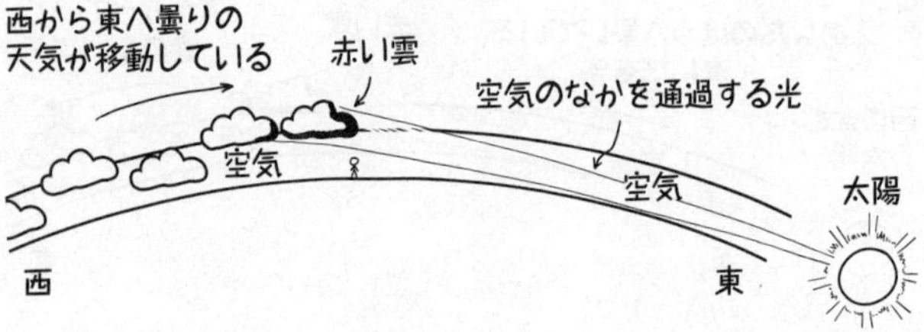
西から東へ曇りの
天気が移動している
赤い雲
空気のなかを通過する光
空気
空気
太陽
西
東

　天気が西から東へと移っているとき、夕焼けなら「頭上には雲があるが西には澄んだ空がある」ということなので、これから天気がよくなりそうだとわかる。

「見ろよ、あの赤い空！」
「嬉しいねぇ！」

　一方朝焼けは、「東には澄んだ空気があるが……頭上には雲がある」ということだ。つまり、澄んだ空気は遠ざかり、雲がどんどんやってくるということだ。

このことわざは、風が主に東から西に吹き、しかも総じて予測しづらい熱帯地域では役に立たない。だがそもそも、熱帯の天気ははるかに安定している――ときどき発生する予測できないサイクロンを除いて――ので、このような経験則はあまり必要ない。

ゴールデンアワー

このように、赤い光を通過させ青い光を通さないというフィルターの作用を大気が持っていることは、日の出と日没ごろの時間が写真愛好家たちのあいだで「ゴールデンアワー」と呼ばれている理由のひとつになっている。日没を素晴らしくする、赤味が強く温かみのある光は、日没の風景写真のみならず、人物の顔写真も素敵にする。

ということは、温帯地域においては、インターネットに投稿された写真をいろいろ見るだけで先の天気が少し予想できるということだ。夕方フェイスブックをチェックして、赤と黄色の画素数が普通より多い日没の写真やほっこりと温かみのある自撮り写真に「いいね」がたくさんついていたら、その地域の天気は良くなりそうだとわかる。一方、赤や黄色が多い日の出の写真や、暖かく輝く朝の自撮り写真は、不吉なしるしかもしれない。

写真の色による予測は、スーパーコンピュータを使った大気のシミュレーションほどの信頼性はないかもしれないが、覚えやすいリズミカルな文章にまとめられた昔の天気予測法がこんなに役立つなんて、すごいじゃないか。

あなたが船乗りでないなら、必要に応じて言葉を変えてもいいだろう。

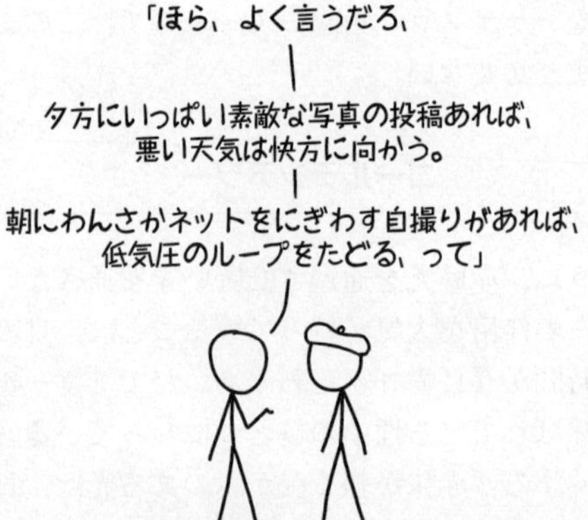
「ほら、よく言うだろ、
夕方にいっぱい素敵な写真の投稿あれば、
悪い天気は快方に向かう。
朝にわんさかネットをにぎわす自撮りがあれば、
低気圧のループをたどる、って」

行きたい場所に行くには

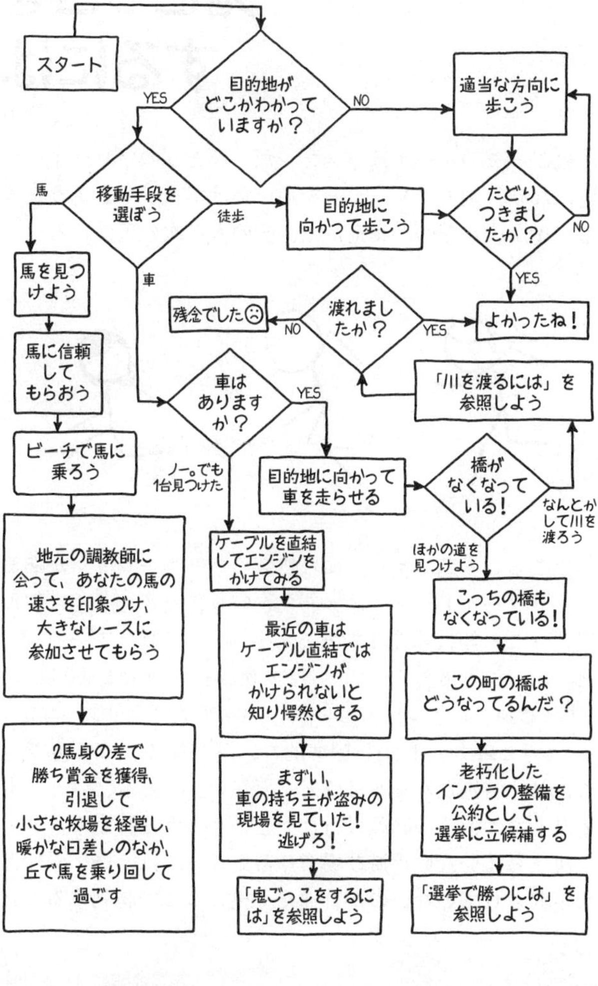
スタート
目的地がどこかわかっていますか？
YES
NO
適当な方向に歩こう
移動手段を選ぼう
馬
徒歩
車
目的地に向かって歩こう
たどりつきましたか？
NO
YES
馬を見つけよう
残念でした☹
NO
渡れましたか？
YES
よかったね！
馬に信頼してもらおう
「川を渡るには」を参照しよう
車はありますか？
YES
ビーチで馬に乗ろう
ノー。でも1台見つけた
目的地に向かって車を走らせる
橋がなくなっている！
なんとかして川を渡ろう
ほかの道を見つけよう
地元の調教師に会って、あなたの馬の速さを印象づけ、大きなレースに参加させてもらう
ケーブルを直結してエンジンをかけてみる
こっちの橋もなくなっている！
最近の車はケーブル直結ではエンジンがかけられないと知り愕然とする
この町の橋はどうなってるんだ？
2馬身の差で勝ち賞金を獲得、引退して小さな牧場を経営し、暖かな日差しのなか、丘で馬を乗り回して過ごす
まずい、車の持ち主が盗みの現場を見ていた！逃げろ！
老朽化したインフラの整備を公約として、選挙に立候補する
「鬼ごっこをするには」を参照しよう
「選挙で勝つには」を参照しよう

第13章 鬼ごっこをするには

鬼ごっこのルールはシンプルだ。ひとりのプレーヤーが鬼になり、別のプレーヤーを追いかけてタッチしようとする。鬼が誰かをつかまえたら、その人が次の鬼になる。

鬼ごっこの基本ルールには無数のバリエーションがある——「ワールドチェイスタグ」という、パルクールに似た鬼ごっこの競技連盟まである（パルクールとはフランスの軍事訓練を起源とするスポーツで、道具を使わずに障害物を乗り越え、素早く移動するもの。ワールドチェイスタグは、パルクールで鬼ごっこをする競技）。しかし標準的な、遊び場で行なう鬼ごっこには、特別なルールはほとんどない。得点も、ゴールも、道具もなく、その範囲で行なえというような特定のエリアも決まっていない。遊び場でやる鬼ごっこは、終了の仕方も定義されていないのが普通だ。鬼ごっこで勝利すること

はできない。ただやめる、それだけだ。

理屈のうえでは、理想的な鬼ごっこ——プレーヤーごとに走る速さが違うが、全員が全速力で走って行なう鬼ごっこ——は、やがて自然な平衡状態に達する。鬼をやっている人が最も遅いプレーヤーではないなら、その人は自分より遅いプレーヤーをつかまえてタッチし、それ以降鬼になることはない。だが、最終的には走るのが最も遅い人が鬼になり、その人はほかのプレーヤーをつかまえてタッチすることはできず、いつまでも鬼のままになるだろう。

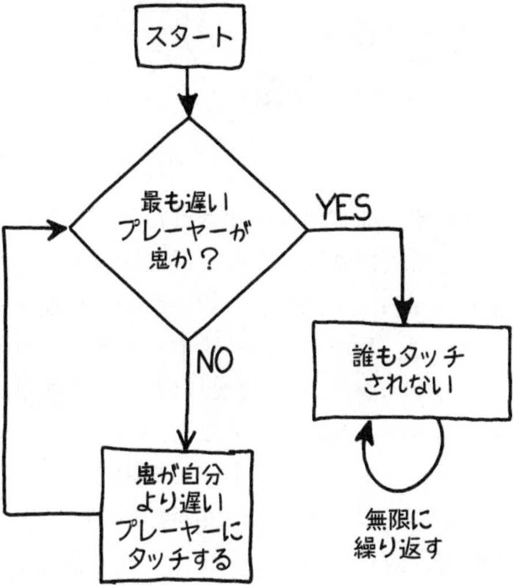

鬼ごっこが決して終わらないなら、鬼でないプレーヤーはみな走りつづけなければならない。止まって休憩すれば、「ウサギと亀」のような事態を招く恐れがある。あなたは

鬼よりも速いプレーヤーだが、しかし１日８時間眠りたいなら、敵に追いつかれないように、十分大きなリードを確保しなければならない。

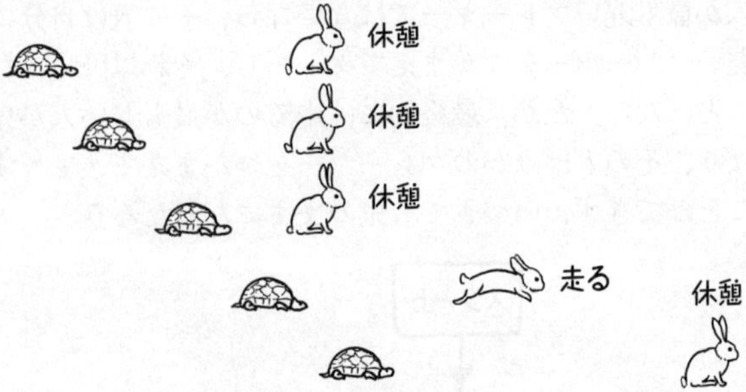

私たちはいま、極端に理想化されたモデルを見ている。現実には、走る人はある一定の「最高速度」で、ただ走りつづけるというわけではない。短い距離なら速く走れるという人もいれば、長いあいだ一定のペースで走れる人もいる。このことを考慮に入れれば、私たちのあまりに単純なモデルを、もう少し面白くすることができる。

ウサイン・ボルト——世界最速の短距離走者——とヒシャム・エルゲルージ（モロッコの中距離競走選手）——１マイル競走の世界記録保持者——が鬼ごっこするとどうなるか考えてみよう。ふたりとも選手として最盛期にあると仮定し、彼らのペースをモデル化するために、それぞれが世界記録を出した試合の記録値を使うことにする。

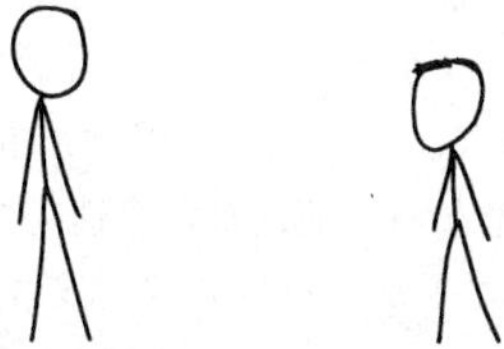

長距離走者と短距離走者は、異なる生理学的メカニズムに依存してパワーを生み出している。短距離走者は酸素を使わずにパワーを生み出す、無酸素性プロセスに依存しているのだが、これは短距離のあいだに大量のエネルギーを供給する一方、1、2分後には体に貯蔵されているエネルギー源をすべて使いきってしまう。それに対して、長距離走者は酸素を消費してパワーを生み出す有酸素性プロセスのほうにより依存しており、こちらのプロセスは長距離にわたって安定したエネルギー供給を行なう。

ウサイン・ボルトは現在、ほとんどの短距離走競技の世界記録保持者だ。彼は世界最速の人間だ……2、300メートル以上走る必要がなければ。彼の400メートル競走の記録は優れたものだが、世界記録より2秒以上遅い[1]。それ以上の距離では、彼は高校生の選手にも及ばない。ボルトの

(1)　400メートルは、短距離走者の無酸素性プロセスのエネルギー源が完全に消耗し、有酸素性プロセスが必要になってしまうぎりぎりの距離である。

代理人が《ザ・ニューヨーカー》誌に語ったところでは、ボルトは1マイルを走ったことは決してないそうだ。

最初はエルゲルージが鬼でゲームが始まるとしよう。とはいえ、最初にどちらが鬼かは、実際には問題ではない——もしもボルトが鬼なら、彼はただ全速力で走って、最初の2、3秒のうちにエルゲルージにタッチするだろうから。

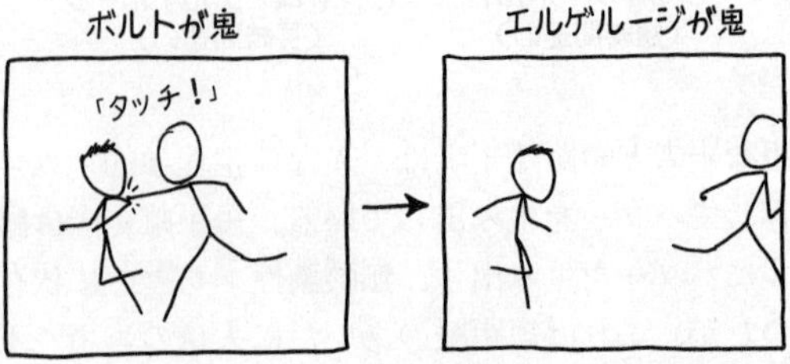

ボルトはタッチされるのを避けるため、走りはじめるだろう。最初は彼が有利だろう。おそらく短距離走の能力に物を言わせ、スピードが遅いエルゲルージを見る見るうちにどんどん引き離していく。開始後30秒、300メートルを通過したところで、ボルトは後ろを追うエルゲルージの70メートルも前を走っているだろう。

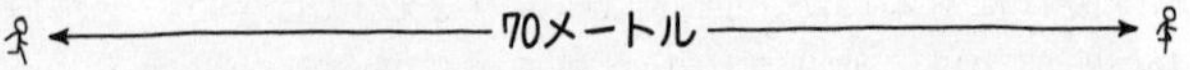

ところが、開始後30秒以降は、ふたりの差は縮まっていく。開始後90秒と少し経ったころ、700メートルの少し手前でエルゲルージはボルトに追いつき、タッチする。

疲れ果てたボルトは、エルゲルージを追いかけようとしても追いつくことはできないだろう。

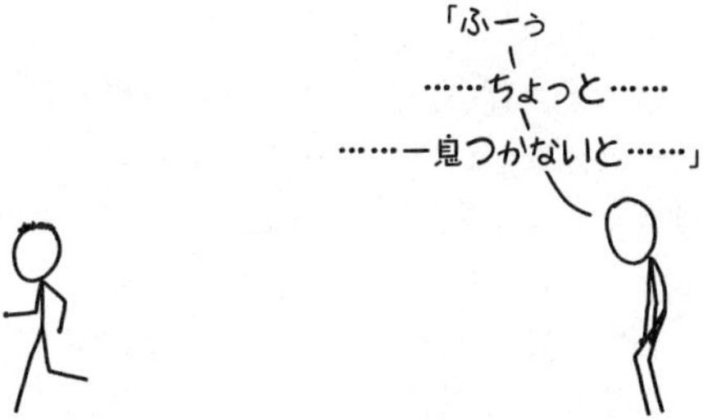

あなたがマラソンのチャンピオンでもないかぎり、長距離走者は鬼ごっこのゲームで、あなたに対して大いに有利だ。あなたがウサイン・ボルトであれ、ウーヴェ・ボル[2]であれ、ウーゴ・ブオンコンパーニ[3]、あるいはウスニア・バルバタ[4]であれ、マラソン走者がいったん自分のペースに達したなら、追いつくことはできないだろう。

---

(2)　ホラー映画を多数制作している映画監督。
(3)　グレゴリウス13世（16世紀のローマ教皇）の本名。
(4)　地衣類の一種。

もしもあなたがボルトと同じ立場になって、長距離走のスキルが自分より優れた人を相手に鬼ごっこをしていたとしたら、あなたは永遠に鬼のままなのだろうか？

うーん、たぶんそうだね。

長距離走者に追いつくには

走ってランナーに追いつくことができないなら、もっと効率のいい方法を試してみるといい。歩く、というのがそれだ。

歩くのは走るより遅いが、エネルギー消費の点では走るよりもはるかに効率がいい——1キロメートル当たり必要な酸素もカロリーも少ないのだ。健康な人が、1キロメートル走るのはきついと感じる一方で何時間も平気で歩けるのはこのためである。走ることは、あなたの体内で有酸素性プロセスを行なっているシステムに、より厳しい仕事を要求する。あなたの体がその要求に答えられないなら、走りつづけることはできない。長距離走者はエネルギーの浪費を極力抑える走り方を身につけるが、彼らは同時に、走りを持続するのに必要なペースでエネルギーを供給できるように心肺機能を条件づける。

山歩きをする人（ハイカー）たちは普通、全長3500キロメートルのアパラチアン・トレイル（アメリカのアパラチア山脈に沿って南北に延びる長距離自然歩道）を、5～7カ月かかって踏破する。5カ月かかるとすると、これは1日当たり24キロメートル弱のペースだ。そこで、あなたは1日当たり24キロメートルのペースを無限に維持できるとしよう。

長距離マラソンのチャンピオン、イアニス・クーロス（ギリシア出身の長距離走者で、一定の時間走りつづけて距離を競う、12時間走、24時間走、48時間走のすべてで、ロード、トラックとも男子の世界記録を保持する）は、24時間で約300キロメートル走ったことがある。あなたがハイカーのペースでクーロスを追いかけていたとすると、彼は初日に170キロメートル走ってあなたから離れてしまい、その後はあなたが追いつくまで、7日間ぐらい休憩することができる。追いつかれたなら、彼はまた170キロ走ればいいのである。

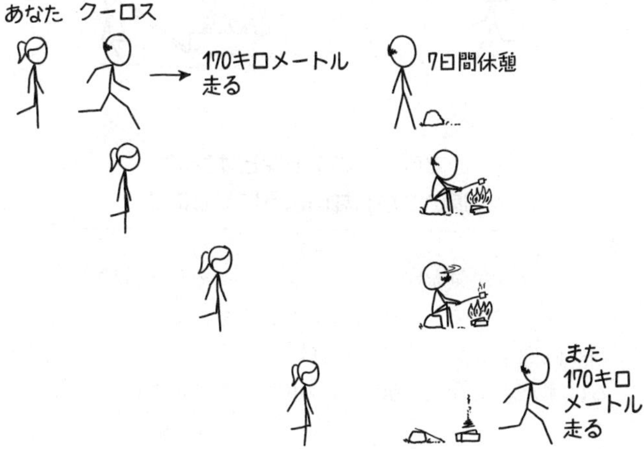

絶対にタッチされないぞと心に決めているクーロスがもし普通の暮らしをしたいと思うなら、約170キロメートルおきに家を2、3軒買えばいい。あなたが彼のいる家に近

づいたら、彼はその次の家まで走ればいいのだ。そうすれば、あなたが追いついて次の家まで逃げなければならなくなるまで、それぞれの家で7日間程度ゆっくりしていられる。

彼が一緒に暮らす家族もみなマラソンランナーならいいのだが——さもないと、彼はあなたに追いつかれないようにするために、ものすごい量の仕事をしなければならないだろう。

マラソンのチャンピオンに追いつかれないようにするには

クーロスが気をゆるめたすきにこっそりと近づき、ついにタッチすることに成功したとしても、あなたは新たな問題に直面する。つまり、彼は即座にまたあなたにタッチするはずだ。あなたが彼を追い越すことは絶対にできないだろう。

ルールの範囲内で勝つことができないなら、ルールをちょっとまげてみては？　あなたは好きなだけ速く走ることができるマジック・スクーターに飛び乗って、瞬時にクーロスにタッチすると仮定しよう。

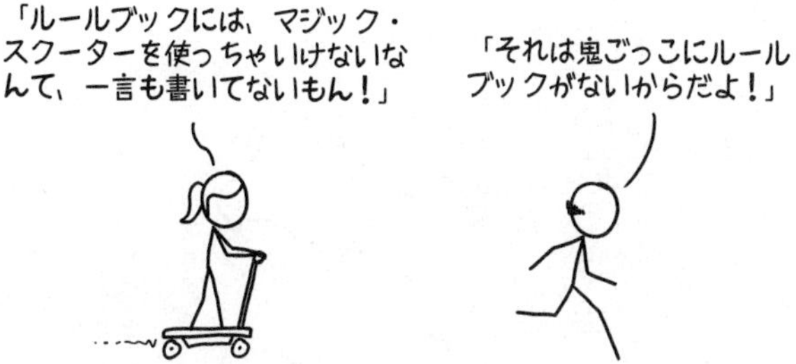
「ルールブックには、マジック・スクーターを使っちゃいけないなんて、一言も書いてないもん！」
「それは鬼ごっこにルールブックがないからだよ！」

追う側になったクーロスが、あなたと同じレベルまで堕落することを拒否し、あくまでも昔からの方法で追いかけることにしたとしよう。あなたがどれだけ遠くまで行こうが、彼はあなたを追いつづける――だが、もしもあなたがほんとうに遠くまで行けるとしたら、あなたは休憩してリラックスする時間をたっぷり稼ぐことができる。

グーグルの歩行者用道順表示機能を使って、そのあいだの歩行距離が最長になる地球上の２点を探してみてほしい。グーグルは地図を更新するので、見つかる２点は随時変わるだろう。しかし、サイエンス・アーチストのマルティン・クシヴィンスキはそのような２点を集めてリストにした。有望な候補は、南アフリカのクォインポイントからロシア東岸の都市マガダンへのルートだ。

このルートは、全長約2万2500キロメートルになる。16カ国を通過し、いくつもの川や運河を船で渡り(5)、合計20カ所以上の国境を越える。総数約2000の指示に従って進む、徒歩の旅だ。

(5)　道路の封鎖や国境での手続きによっては、エジプトとスーダンの国境を越えるためにナセル湖（スーダン側はヌビア湖と呼ばれる）もフェリーで渡らねばならない可能性がある。

「『右に曲がる。
25キロ歩く。
そのままルートB8に入る。
2キロ進む。
タンザニアに入る。
そのまま……』」

このルートは起伏が激しく——全行程の高度差の累計は 100 キロメートルを超える——、熱帯雨林から酷暑の砂漠、そしてシベリアのツンドラ地帯まで、事実上すべての気候帯を通過する。あなたを追いかけている人がどのくらい速くこのルートを踏破できるかはわからないが、アパラチアン・トレイルの最速踏破記録は現在のところ 41 日と少しなので、平均すると 1 日当たり 85 キロメートルになる。このペースでクォインポイントからマガダンまでは約 9 カ月かかる。

あなたは鬼があきらめるまで、今いる場所の暮らしを 1 年かそこらで捨てては際限なくあちこち引っ越して、世界中を回りつづけることができる。

あるいは、みんなと話しあうこともできる。鬼ごっこが決して終わらず、そして誰かが鬼でなければならないなら、交代で鬼になればいいではないか？　世界中をあちこち走り回るよりも、どこか住むのにいい場所を見つければいい——旅して見つけたどこかの町などに。あなたと鬼ごっこ仲間は隣どうしの家に引っ越して、毎日鬼を交代すればいい……

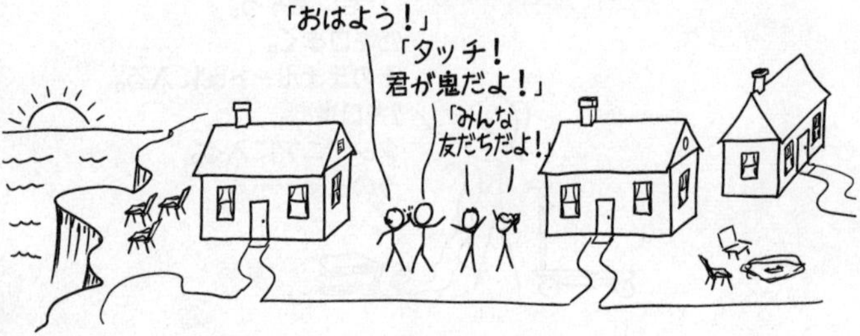

……新しい隣人たちと朝のお決まりのハイタッチをして。

やはり鬼ごっこにも、勝つ方法はあるみたいだ。

第14章

スキーをするには

スキーでは、長くて平たい物体を足に固定して、斜面を横切ったり、滑り降りたりする。斜面は普通、凍った状態または液体の状態の水だが、それ以外のものでもかまわない。

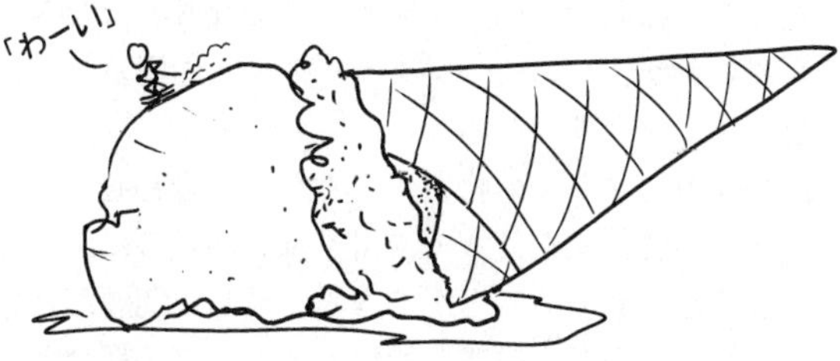

十分傾斜が大きければ、どんな斜面でも滑り降りることができる。斜面の上に静止している物体にかかる重力は、物体を斜面に沿って下へ引っ張る成分と、斜面を垂直に押す成分に分解されていると考えることができる。斜面に沿って下へ引っ張る力が摩擦力より大きくなると、物体は斜面を滑り降りはじめる。

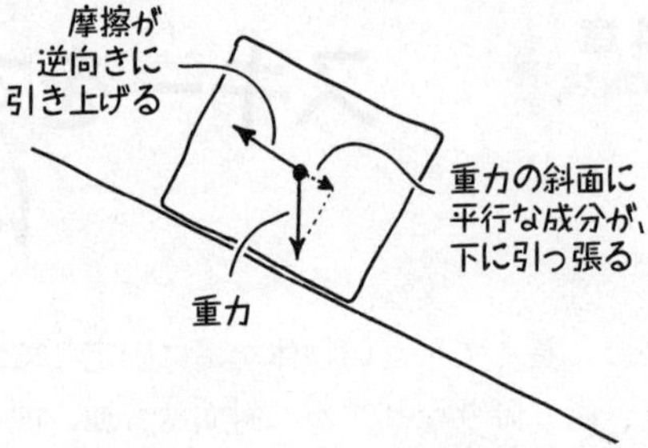
摩擦が
逆向きに
引き上げる
重力の斜面に
平行な成分が、
下に引っ張る
重力

スキーと斜面の材質によっては、滑りはじめるのが難しいことがある。スキーがゴム製で斜面がセメントなら、スキーをするには斜面の傾斜がかなり急でなければならない。おそらくこれが、ゴムでコンクリートの上を滑るスキーがとことん不人気な理由だろう。[1]

斜面の物質とスキーの物質がどんな組み合わせでも、単純な物理学の関係式を使って、滑りはじめるのに必要な傾斜の大きさを計算することができる。難しい問題だと思われるかもしれないが、複雑な箇所のほとんどが都合よく打ち消しあい、結局、次のような極めて単純な式が得られる。

摩擦係数＝tan（滑りはじめる傾斜角〔摩擦角〕）

あなたが滑りはじめる傾斜角を知りたいなら、この式を逆に解けばいい。

（1） 皮肉な言い方をすれば、引きが強すぎてドン引きの憂き目を見ているわけだ。

$$滑りはじめる傾斜角 = \tan^{-1}(摩擦係数)$$

この式は、うれしいくらい単純だ。$E=mc^2$(2) や $F=ma$ などと肩を並べるほどである。これらの有名な式とは違い、摩擦係数の式はこの特定の問題にしか役立たないが、それでもその単純さは素晴らしい。

スキーと斜面の材質ごとの摩擦係数をまとめた表がこれだ。

	スキーの材質		
斜面の材質	ゴム	木	鋼鉄
コンクリート	0.90	0.62	0.57
木	0.80	0.42	0.3
鋼鉄	0.70	0.3	0.74
ゴム	1.15	0.80	0.70
氷	0.15	0.05	0.03

(2)　ふたつめの「2」は「原注2」の意味で、2乗を示す上付き文字ではない。

次に摩擦係数と、それに対応する、滑りはじめるのに必要な最低限の傾斜角を一覧にしておこう。

■ 0.01/0.6°（車輪つきの自転車[3]）
■ 0.05/3°（鋼鉄の上を滑るテフロン、雪の上を滑るスキー）
■ 0.1/6°（ダイヤモンドの上を滑るダイヤモンド）
■ 0.2/11°（鋼鉄の上を滑るレジ袋）
■ 0.3/17°（木の上を滑る鋼鉄）
■ 0.4/22°（木の上を滑る木）
■ 0.7/35°（鋼鉄の上を滑るゴム）
■ 0.9/42°（コンクリートの上を滑るゴム）

木のスキーは、傾斜17°の鋼鉄の斜面で、自然に滑りはじめるだろう。ゴム製のスキーなら、鋼鉄の斜面は傾斜角35°でなければ滑りださない。ゴムとコンクリートの摩擦係数はゴムと鋼鉄の摩擦係数よりも大きく——0.9——、滑り下りるには42°というかなり急な傾斜が必要だろう。このことからまた、ゴム底のスニーカーでは42°より急な斜面を登ることはできないとわかる。

(3) 自転車には車輪があるが、それでもなお自転車は摩擦を受けている——車輪は地面からの摩擦の一部について、その位置を車軸のベアリングに移しているだけである。

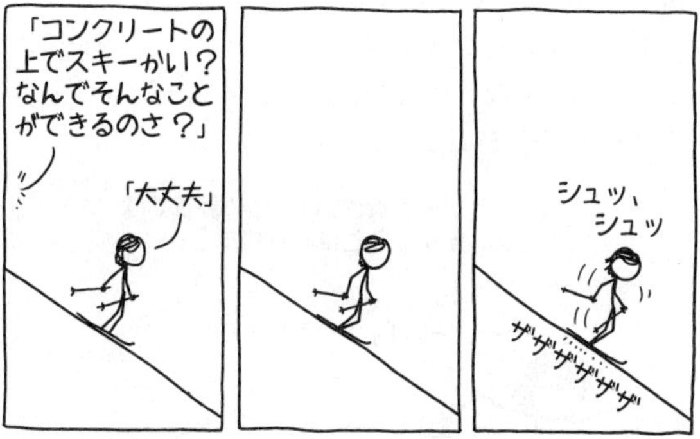

ある意味、スキーヤーとは、山登りはひどく苦手だが、バランスがとてもいいことでそれを埋め合わせている登山者にほかならないのだ。

氷は、ほかのたいていの面に比べて滑りやすく、雪——雪とはつまるところ、鑑賞用の氷のようなものである——も同様に滑りやすい。このため、氷や雪はスキーやそれに似たさまざまな活動に適しており、冬季オリンピックではどの競技にも何らかのかたちで滑ることが含まれている理由もここにある。

氷が滑りやすい理由は、じつのところ、ちょっと謎なのだ。長いあいだ、スケートの刃が加える圧力が氷の表面を溶かし、薄い水の層ができて、それが滑りやすいのだと考えられてきた。19 世紀末の科学者や技術者たちは、アイススケートの刃が氷の融点を 0℃から −3.5℃へと下げることを示した。「氷は圧力下では溶けやすくなる」という説は何十年にもわたり、アイススケートがなぜ可能かの標準的な説明として受け入れられていた。スケートは

－3.5℃より低い温度でも可能だということを、どういうわけか誰も指摘しなかったのである。圧力下融解説ではそんなことは不可能なはずだが、アイススケートをする人は、常にそれを実際にやっているのだ。

「やめなさい！　私の計算では
そんなことは不可能だ！」
「わーーーい！」

なぜ氷は滑りやすいかを実際どう説明するかは、驚くべきことに、今なお物理学で進行中の研究課題である。一般的な説明では、氷の表面に液体の水の層が存在するのは、水の分子が氷の結晶格子のなかにしっかりと固定されていないからだとされている。つまり、氷の四角い塊《かたまり》はある意味、縁《へり》がほつれた一片の布切れのようなものだというわけだ。布のなかほどでは、糸は規則正しい形に固定されているが、縁では糸はあまり固定されておらず、ほつれて動きやすい。これと同じように、氷の塊の表面近くでは、水の分子の結合がゆるんで分子が動き回り、薄い水の層ができる。しかし、この水の層の性質や、スケートがこの層とどのように相互作用するかは、まだ完全にはわかっていない。

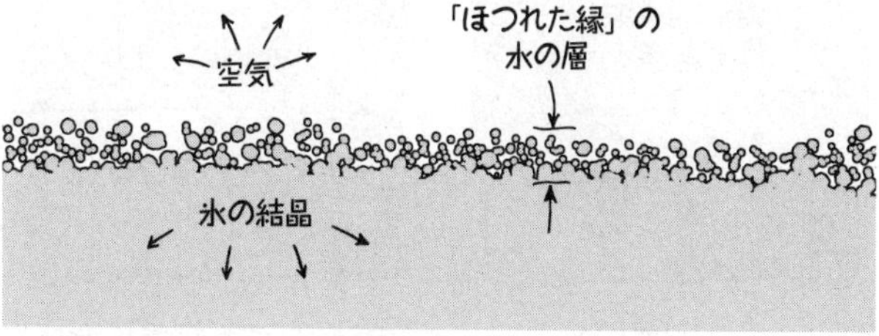

現代の物理学が、重力波やヒッグス粒子などの追究のような抽象的で深い謎に取り組んでどれほど多くの時間を費やしてきたかを考えると、いかに多くの基本的で日常的な現象が依然として十分に理解されていないかは、驚くべきことだろう。アイススケートのほかに、電荷が雷雲に蓄積する理由や、砂時計の砂が残量にかかわらず一定のスピードで落下する理由や、髪の毛をゴム風船でこすると髪の毛に静電気がたまる理由なども、物理学者たちはよくわかっていない。幸いスキーヤーもスケーターも、物理学者たちが物事を明らかにするのを待たずに、雪や氷の上を滑ることができる。

雪はそれだけでも十分滑りやすいのだが、さらに少しでも滑りやすくするために、スキーヤーはスキーにワックスを塗る。このワックスは半流動性の層となり、尖った氷の結晶がスキーの硬い材料に突き刺さって、速度が落ちるのを防ぐ。

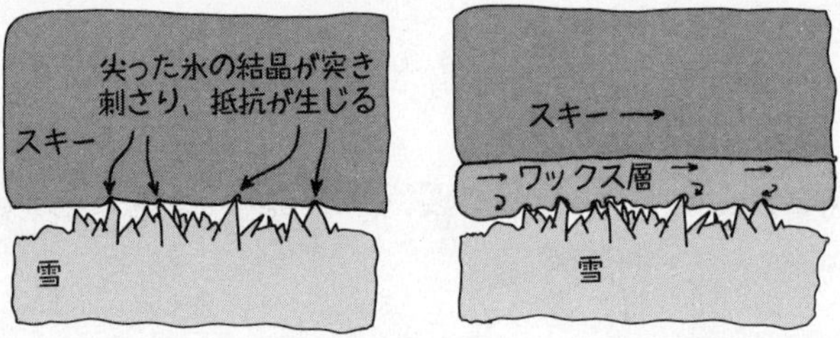

ワックスを塗ったスキーの、雪の上での摩擦係数は約0.1だが、スキーが動きはじめると、これは0.05に下がる。(4) したがって、自分の体重だけで滑りはじめるには、傾斜が6°の斜面が必要だが、いったん動きはじめたなら、滑りつづけるのに必要な傾斜は約3°だ。

斜面を滑り降りはじめたあなたは、雪がなくなるか、あるいは、空気抵抗が後ろへ引く力が重力が前に引く力より大きくなる速度に達するまで、加速しつづける。空気抵抗がほんとうに働きだすのは速度がもっと高まってからなので、ゆるやかな斜面でも十分長ければ、スキーヤーや橇《そり》で滑る人（スレッダー）は相当なスピードに達する。長さが無限の6°の斜面でスキーヤーやスレッダーが達する最高速度は、時速約50キロメートルだ——特に空気抵抗が低いスキーヤーやスレッダーなら時速70キロ強になる。傾斜が25°の斜面では、空気抵抗が少ないスキーヤーやスレッダーは時速160キロに達することもありうる。

---

(4)　物体は、運動しはじめると摩擦係数が小さくなる。道などに張っている氷の上でつるりと滑ったとき、突然足が大きく前のほうに行ってしまうのはこのためだ。氷の上で動きはじめた瞬間に摩擦が激減して、靴のグリップが完全にきかなくなってしまうのである。

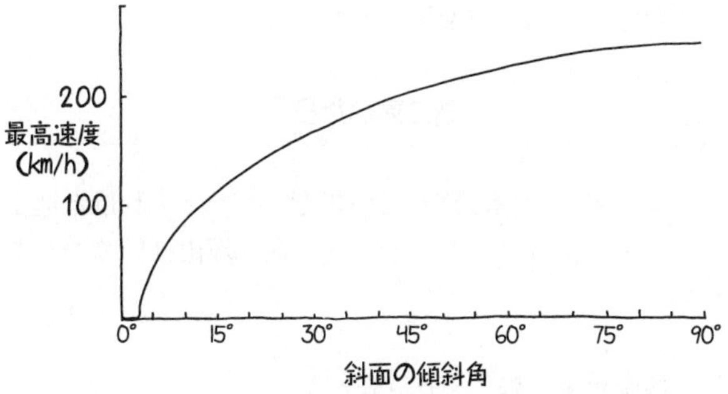

スキーで達成された最高速度の世界記録は時速約250キロメートルだが、スキーの最高速度の記録は、あまり人々に注目されていない。というのもそれは、限界を押し上げるのが特に面白いものではないからだ。スキーで速度を上げる方法とは、より長く、より傾斜が急な斜面を見つけることに尽きる。これを追求しつづけると、それは次第にスキーというよりスカイダイビングになっていく——スキーの場合の違いはただひとつ、いっそう危険性の高いスカイダイビングになってしまうことだ。広々とした空を落ちていく代わりに、地表をかすめて高速で進むのだから。時速250キロでスキーをしているときには、障害物をよけるのは極めて難しく、目の前にあるのがなめらかな斜面のように見えたとしても、小さな突起やゆるやかなカーブがあるだけで、瞬時に命にかかわる事態になるだろう。

競技者の得点が、彼らが命を落とす確率と強い相関があるなら、そのスポーツにとっては間違いなく大問題だ。速さを競うスピード・スキーは1992年のオリンピックで束《つか》の間《ま》登場したが、命に係わる事故がいくつも起こってからは、競技としてはほぼ見限られている。

麓《ふもと》に着いたら

スキーで斜面を滑り降りていると、やがてそれ以上進まないところに到達するだろう。そうなる理由はいくつかあり得る。

- 途中に木、岩、または丘がある。
- 山の麓に着いた。
- それ以上先に雪がない。

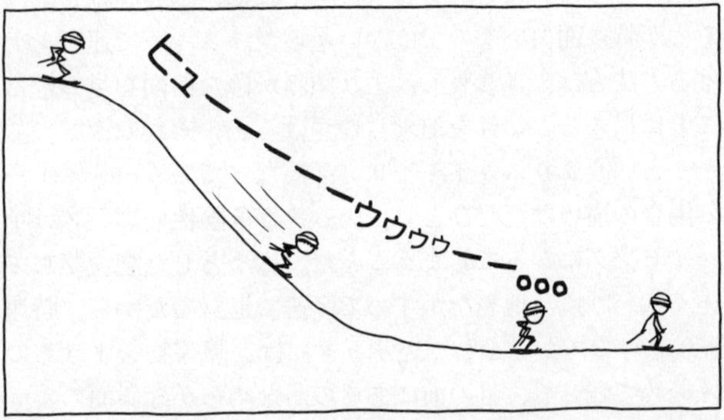

せっかく楽しんでいるのだから、もっと滑りたいと思うなら、2、3の選択肢がある。

途中に木があるなら、木を取り除いてみてはどうだろう。その方法の詳細については、Q2第25章「ツリーを飾るには」を見てほしい。途中に岩があるなら、第10章「物を投げるには」を見ると、あなたがその岩を動かせるかどうかについてのアドバイスがある。山の麓に着いたのなら、そこからさらに加速して進みつづける方法があるので、第26章「どこかに速く到着するには」または第13章「鬼ごっこをするには」を参照のこと。役立つアドバイスが見つかるはずだ。もう斜面がないのに、まだスキーで滑り降りつづけたいなら、第3章「穴を掘るには」を見てほしい。

雪が尽きてしまったなら、この先を読みつづけてください。

雪が尽きてしまったらどうするか

摩擦についてはすでに少し話をしたので、スキーが雪以外の斜面の上ではあまりうまく機能しないことはみなさんもご存知のとおりだ。硬いヘアブラシのような表面構造がある特殊な低摩擦のポリマー（高分子化合物）を使った人工スキー場もいくつか存在し、そのようなもので作った斜面は実際の雪のような柔らかさがあり、ターンするときはスキーが食い込む感覚も味わえる。草やその他の斜面で滑るよう設計されたスキーも存在するが、それらは底面に車輪や溝形がついていて、板面で滑るわけではない。

雪の上でスキーを続けたいが、その上を滑ることができる雪がそれ以上先には存在しないなら、自分で雪を作らなければならないだろう。

ここに、もっと雪が必要
(大至急)
雪
地面

アメリカのスキー場の90%は人工雪を使っており、雪が溶けずに積もるのに十分寒くなると、すぐにスキーコースを確実に雪で覆い、またスキーシーズンが終わるまで、天気の条件が悪いときにも雪を絶やさないようにしている。人工雪は、シーズン中に溶けたり、スキー客が使って崩れたりして、失われた雪を補給するにも便利だ。

人工的に雪を降らす人工降雪機は、圧縮空気と水を使って微小な氷の結晶を無数に放出し、氷の結晶が空中に浮かんでいるあいだに、さらに水滴をミスト状にして吹きつける。ミストが地面へと落ちていくあいだに、いくつもの水滴が氷の結晶の表面に付着して凍りつき、そこそこの大きさの雪の結晶へと成長する。

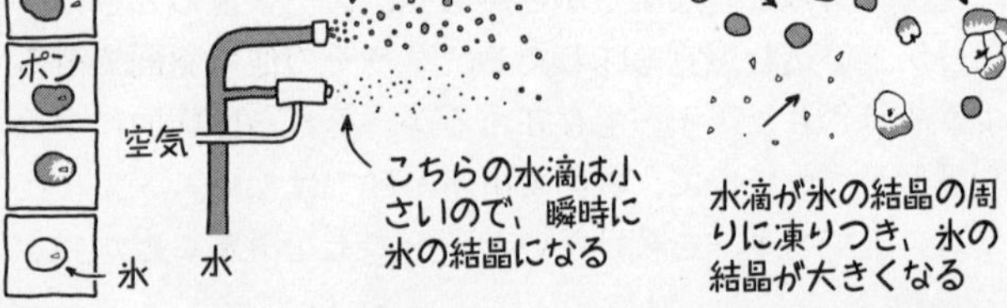
水
氷
ポン
氷
空気
水
大きな水滴
こちらの水滴は小さいので、瞬時に氷の結晶になる
水滴が氷の結晶の周りに凍りつき、氷の結晶が大きくなる

このようにしてできた雪の結晶は、天然の雪の結晶よりも小さくぎゅっと詰まった状態で、形もいびつだ。天然の雪の結晶は、雲のなかでもっと時間をかけて、水の分子が1個ずつついていくようなかたちで形成されるので、複雑で対称的な形になる。人工雪は、水が降雪機のノズルから地面に落ちるまでの短い時間で、数個の水滴がぐちゃぐちゃにくっついて形成される。

天然の雪の結晶

人工の雪の結晶

仮に、あなたがスキーするには幅1.5メートルの雪の道が必要だとしよう。また、滑り降りる速度は時速30キロだとする。天然の雪は、水と空気が10%対90%程度の体積比で混ざっていると考えていいだろう——じつはこの比は、雪がどれだけ軽くフワフワしているかによってかなり違うのだが。話を単純にするために、スキーをするには厚さ20センチのやや固めの雪が必要だとしよう。このような雪の密度が水の密度の約1/8だとすると、あなたがスキーをするのに必要な雪の層は、質量については厚さ2.5センチの水の層と同じとなる。したがって必要な水の総量は、

$$1.5\mathrm{m}\times 0.2\mathrm{m}\times \frac{1}{8}\times 30\frac{\mathrm{km}}{\mathrm{h}}=1125\frac{\mathrm{m}^3}{\mathrm{h}}\fallingdotseq 300\frac{\ell}{\mathrm{s}}$$

つまり、雪を作りながら1時間滑りつづけたければ1000立方メートル（100万リットル）強の水が必要だよ、というわけだ。

この計算から、たとえばフットボールのフィールドの長さと同じくらいの距離を滑りたいなら、長さ約100メートルとして、時速30キロのスピードなら10秒強の時間がかかり、3000リットル以上の水が必要だとわかる。さらに、それを雪にする降雪機も必要だ。

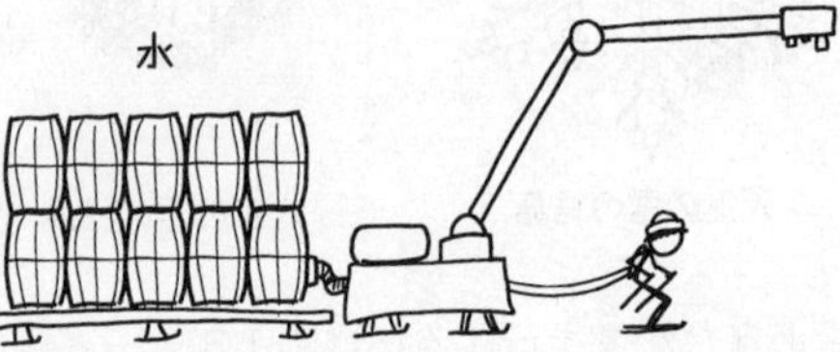

あなたの必要を満たすのに十分高速で雪を作ることのできる装置を見つけるのは大変だろう。最も大きな降雪機が作れる雪の量は、毎時100立方メートル（10万リットル）である。これでは、あなたが必要な量の10%でしかない。そんなわけで、あなたはこの降雪機が何台も必要になるかもしれない。

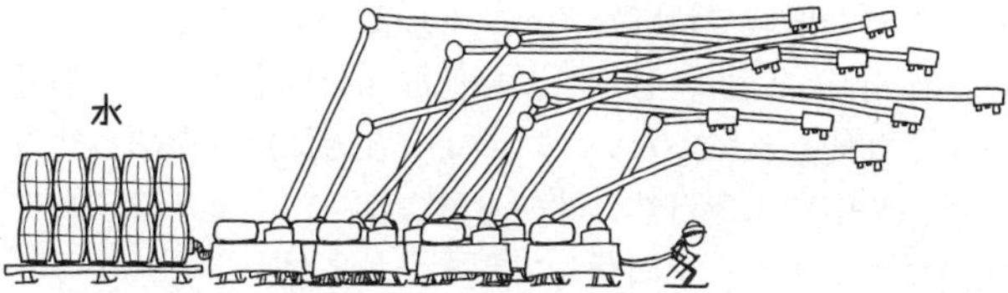

標準的な降雪機で作る雪は、地面に舞い落ちるまでに長い時間がかかるので、その雪が積もるのに必要な時間を考えると、あなたは今いる場所のはるか前方の位置で雪を作らねばならない。さらに、気流があるので、降雪機の雪が十分な量だけ幅の狭い道の上に集中して落ちるようにするのは困難ではなかろうか。

水滴が気化によって熱を空気に奪われて、氷の結晶に付着できるようになるまでには長い時間がかかるので、水滴はゆっくりと空中を降下しなければならない。水滴をもっと素早く冷やす方法はいくつかある——だが、そうした方法には欠点がある。

液体窒素のような極低温物質を空気と水が混じりあっている降雪機内部に混入すると、温度が下がり、瞬間凍結に近い状況で凍結が起こる。この手法では雪を素早く作り出すことができるので、気温が高すぎて普通の人工雪は作れないような地域で特別なイベントのために雪を作る企業などが採用している。しかし、極低温凍結技術はスキー場ではあまり使われていない。このような方法で水を凍らせるのは、空中で水を自然に凍らせるよりも、あまりに高価で大量にエネルギーを消費してしまうからだ。

あなたのスキーコースは小さく細いので、液体窒素を購入することは可能かもしれない。小さなタンク入りの液体窒素を買うなら、あなたがスキーで滑るには1秒当たり50ドル（約5400円）ほどかかるが、産業用液体窒素の供給業者なら、一度に大量に購入することでかなり安く提供してくれるだろう。

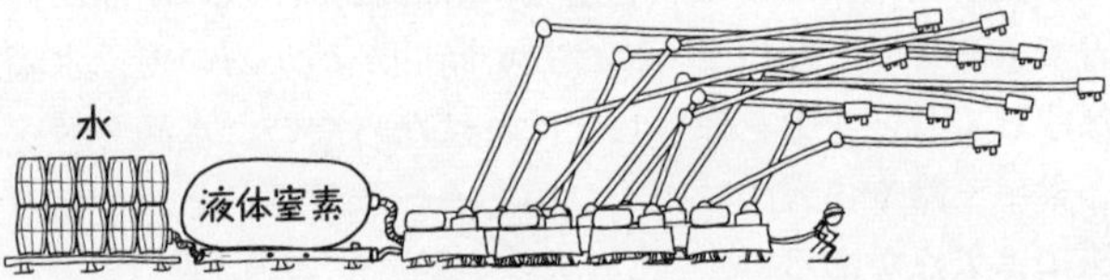

液体窒素を使う必要はない――ほかの極低温気体でやってみてもいい。液体酸素は、液体窒素と似ており、容易に

生産できるし、理屈のうえでは人工降雪にも使うことができる。だが、これはお薦めしない。液体窒素が極低温気体として広く使われている理由のひとつは、それが不活性で、反応性がないからだ。液体酸素はそんなことはない——反応性が非常に高いのだ。

プロセスを高効率化する

自分の背後の雪をすくい取って再利用すれば、滑りながら新しく雪を作るよりも雪の消費を抑えられる。

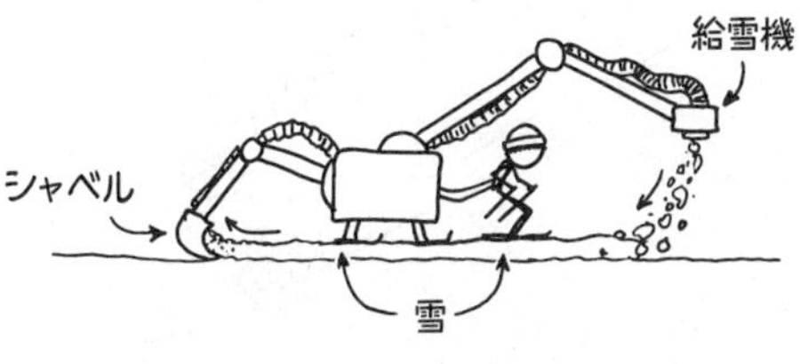

防水シートを雪の下に敷いておけば、シートごと雪全体を回収して、最小限のロスで再利用できる。

雪運搬ループを小さくすればするほど、必要な雪は少なくなる。

雪のループを、頭の上ではなく脚の周りに通せば、あなたの体より小さくすることもできる。

ここに至ってお気づきのとおり、要するにあなたはローラースケートを再発明したのだ。

参考文献

第1章　ものすごく高くジャンプするには

Carter, Elizabeth J., E. H. Teets, and S. N. Goates, "The Perlan Project: New Zealand flights, meteorological support and modeling," in *Proc. 19th Int. Cont. on IIPS, 83rd AMS Annual Meeting*, no. 1.2 (2003).

Hirt, Christian et al.,"New Ultrahigh-Resolution Picture of Earth's Gravity Field," *Geophysical Research Letters* 40, no. 16 (August 2013): 4279-4283.

Teets, Edward H., Jr., "Atmospheric Conditions of Stratospheric Mountain Waves: Soaring the Perlan Aircraft to 30 km," in *10th Conference on Aviation, Range, and Aerospace Meteorology* (2002).

第2章　プールパーティを開くには

Arctic Monitoring and Assessment Programme, *Snow, Water, Ice and Permafrost in the Arctic (SWIPA) 2017* (Oslo 2017).

Trenberth, Kevin E. and Lesley Smith, "The Mass of the Atmosphere: A Constraint on Global Analyses," *Journal of Climate* 18, no. 6 (March 2005): 864-875.

Wellerstein, Alex, "Beer and the Apocalypse," *Restricted Data*, September 5, 2012, http://blog.nuclearsecrecy.com/2012/09/05/beer-and-the-apocalypse/.

第3章　穴を掘るには

Nevola, V. René, "Common Military Task: Digging," in *Optimizing Operational Physical Fitness* (RTO/NATO, 2009), 4-1-68.

United States Department of Labor, "Occupational Employment and Wages, May 2017," Bureau of Labor Statistics, last modified March 30, 2018, https://www.bls.gov/oes/current/oes472061.htm.

第4章　ピアノを弾くには（すみからすみまで）

Katharine B. Payne, William R. Langbauer Jr., Elizabeth M. Thomas, "Infrasonic

Calls of the Asian Elephant (Elephas Maximus)," *Behavioral Ecology and Sociobiology* 18, no. 4 (February 1986): 297-301.

第6章 川を渡るには

Buffalo Morning Express, February 10, 1848.

Glauber, Bill, "On Solid or Liquid, Give It the Gas," *Journal Sentinel*, July 18, 2009, http://archive.jsonline.com/news/wisconsin/51105382.html/.

Historic Lewiston, *Lewiston History Mysteries*, Summer 2016, http://historiclewiston.org/wp-content/uploads/2016/08/Homan-Walsh-Falls-Kite-3.pdf.

"Incidents at the Falls," *Buffalo Commercial Advertiser*, July 13, 1848.

"Niagara Suspension Bridge," *Buffalo Daily Courier*, February 3, 1848.

Perkins, Frank C., "Man-Carrying Kites in Wireless Service," *Electrician and Mechanic* 24 (January-June 1912): 59.

Robinson, M.,"The Kite that Bridged a River," 2005, http://kitehistory.com/Miscellaneous/Homan_Walsh.htm.

第7章 引っ越すには

Federal Emergency Management Agency, "Appendix C, Sample Design Calculations," in *Engineering Principles and Practices for Retrofitting Flood-Prone Residential Structures* (FEMA 2009), C–1-37.

Piasecki Aircraft Corporation, "Multi-Helicopter Heavy Lift System Feasibility Study" (Naval Air Systems Command, 1972).

第8章 家が動かないようにするには

AK Stat.§09.45.800 (Alaska 2017).

California Code of Civil Procedure, chapter 3.6, Cullen Earthquake Act,§751.50

(1972).
Joannou v. City of Rancho Palos Verdes, B241035 (CA Ct. App. 2013).
Offord, Simon, "Court Denies Request to Adjust Lot Lines After Landslide," Bay Area Real Estate Law Blog, accessed March 28, 2019, https://bayareareal estatelawyers.com/real-estate-law/court-denies-request-to-adjust-lot-lines-after-landslide.
Pallamary, Michael J. and Curtis M. Brown, "Land Movements and Boundaries" from *The Curt Brown Chronicles, The American Surveyor* 10, no. 10 (2013): 49-50.
Schultz, Sandra S. and Robert E. Wallace, "The San Andreas Fault," U.S. Geological Survey, last modified November 30, 2016, https://pubs.usgs.gov/gip/earthq3/safaultgip.html.
Theriault v. Murray, 588 A. 2d 720 (Maine 1991).
White, C. Albert, "Land Slide Report" (Bureau of Land Management, 1998), https://www.blm.gov/or/gis/geoscience/files/landslide.pdf.

第９章　溶岩の堀を作るには

Heus, Ronald and Emiel A. Denhartog, "Maximum Allowable Exposure to Different Heat Radiation Levels in Three Types of Heat Protective Clothing," *Industrial Health* 55, no.6 (November 2017): 529-536.
Keszthelyi, Laszlo, Andrew J. L. Harris, and Jonathan Dehn, "Observations of the Effect of Wind on the Cooling of Active Lava Flows," *Geophysical Research Letters* 30, no. 19 (October 2003): 4-1-4.
Torvi, D. A., G. V. Hadjisophocleous, and J. K. Hum, "A New Method for Estimating the Effects of Thermal Radiation from Fires on Building Occupants," Proceedings of the ASME Heat Transfer Division (National Research Council of Canada, 2000): 65-72.

"What Is Lava Made Of?," *Volcano World*, Oregon State University, http://volcano.oregonstate.edu/what-lava-made.

Wright, Thomas L., "Chemistry of Kilauea and Mauna Loa Lava in Space and Time" (U.S. Geological Survey 1971), https://pubs.usgs.gov/pp/0735/report.pdf.

第10章　物を投げるには

Cronin, Brian, "Did Walter Johnson Accomplish a Famous George Washington Myth?," *Los Angeles Times*, September 21, 2012, https://www.latimes.com/sports/la-xpm-2012-sep-21-la-sp-sn-walter-johnson-george-washington-20120921-story.html.

McLean, Charles, "Johnson Twice Throws a Dollar Across the Turbid Rappahannock," *New York Times*, February 23, 1936.

Ragland, K. W., M. A. Mason, and W. W. Simmons, "Effect of Tumbling and Burning on the Drag of Bluff Objects," *Journal of Fluids Engineering* 105, no. 2 (June 1983): 174-178.

Sprague, Robert et al., "Force-Velocity and Power-Velocity Relationships during Maximal Short-Term Rowing Ergometry," *Medicine & Science in Sports & Exercise* 39, no. 2 (February 2007): 358-364.

Taylor, Lloyd W., "The Laws of Motion Under Constant Power," *The Ohio Journal of Science* 30, no. 4 (July 1930): 218-220.

第11章　フットボールをするには

Goff, John Eric, "Heuristic Model of Air Drag on a Sphere," *Physics Education* 39, no. 6 (November 2004): 496-499.

White, Frank M., *Fluid Mechanics* (New York: McGraw Hill, 2016).

第12章　天気を予測するには

"Daniel K. Inouye International Airport, Hawaii," Weather Underground, July 2017, https://www.wunderground.com/history/monthly/us/hi/honolulu/PHNL/date/2017-7.

Gough, W. A., "Theoretical Considerations of Day-to-Day Temperature Variability Applied to Toronto and Calgary, Canada Data," *Theoretical and Applied Climatology* 94, no. 1-2 (September 2008): 97-105.

"Honolulu, HI, NOAA Online Weather Data," National Weather Service Forecast Office, accessed May 3, 2019, https://w2.weather.gov/climate/xmacis.php?wfo=hnl.

Roehrig, Romain, Dominique Bouniol, Francoise Guichard, Frédéric Hourdin, and Jean-Luc Redelsperger, "The Present and Future of the West African Monsoon," *Journal of Climate* 26 (September 2013): 6471-6505.

Thompson, Philip, "Philip Thompson Interview," interview by William Aspray, Charles Babbage Institute, University of Minnesota, December 5, 1986, transcript.

Trenberth, Kevin E., "Persistence of Daily Geopotential Heights over the Southern Hemisphere," *Monthly Weather Review* 113 (January 1985): 38-53.

第13章　鬼ごっこをするには

Bethea, Charles, "How Fast Would Usain Bolt Run the Mile," *The New Yorker*, August 1, 2016, https://www.newyorker.com/sports/sporting-scene/how-fast-would-usain-bolt-run-the-mile.

Dawson, Andrew, "Belgian Dentist Breaks Appalachian Trail Speed Record," *Runner's World*, August 29, 2018, https://www.runnersworld.com/news/a22865359/karel-sabbe-breaks-appalachian-trail-speed-record/.

Krzywinski, Martin, "The Google Maps Challenge–Longest Google Maps

Driving Routes," *Martin Krzywinski Science Art*, last modified June 13, 2017, http://mkweb.bcgsc.ca/googlemapschallenge/.

Krzywinski, Martin, "Longest possible Google Maps route?," xkcd forum, January 30, 2012, http://forums.xkcd.com/viewtopic.php?f=2&t=65793&p=2872419#p2872419.

"Thru-Hiking," Appalachian Trail Conservancy, accessed March 28, 2019, http://www.appalachiantrail.org/home/explore-the-trail/thru-hiking.

第14章　スキーをするには

"Facts on Snowmaking," National Ski Areas Association, accessed March 28, 2019, https://www.nsaa.org/media/248986/snowmaking.pdf.

Friedland, Lois, "Tanks for the Snow," *Ski*, March 1988, 13.

Louden, Patrick B. and J. Daniel Gezelter, "Friction at Ice-Ih/Water Interfaces Is Governed by Solid/Liquid Hydrogen-Bonding," *The Journal of Physical Chemistry* 121, no.48 (November 2017): 26764-26776.

"Polarsnow," Polar Europe, accessed March 28, 2019, https://polareurope.com/polar-snow/.

Rosenberg, Bob, "Why is Ice Slippery?," *Physics Today* 58, no. 12 (December 2005): 50.

Scanlan, Dave from "Like It or Not, Snowmaking is the Future," interview by Julie Brown, *Powder*, August 29, 2017, https://www.powder.com/stories/news/like-not-snowmaking-future/.

本書は、2020年１月に早川書房より単行本『ハウ・トゥー　バカバカしくて役に立たない暮らしの科学』として刊行された作品を二分冊し『ハウ・トゥー　Ｑ１　成層圏までジャンプするには』と改題、文庫化したものです。

〈数理を愉しむ〉シリーズ

ファインマンさんの流儀

Quantum Man

ローレンス・M・クラウス
吉田三知世訳

ハヤカワ文庫NF

〈数理を愉しむ〉シリーズ
量子世界を生きた天才物理学者
ローレンス・M・クラウス
吉田三知世［訳］
ファインマンさんの流儀
QUANTUM MAN: Richard Feynman's Life in Science
早川書房

量子世界を生きた天才物理学者

20世紀、万物の謎解きに飽くなき探求心で挑んだ奇想天外な量子物理学者がいた。ノーベル賞の受賞者ファインマンだ。抜群の直観力で独創的な理論を構築した彼の人物像と、量子コンピュータや宇宙物理など最先端科学に残した功績を人気サイエンスライターが描く。　解説／竹内薫

ホワット・イフ？

Q1　野球のボールを光速で投げたらどうなるか
Q2　だんだん地球が大きくなったらどうなるか

WHAT IF?
ランドール・マンロー
吉田三知世訳
ハヤカワ文庫ＮＦ

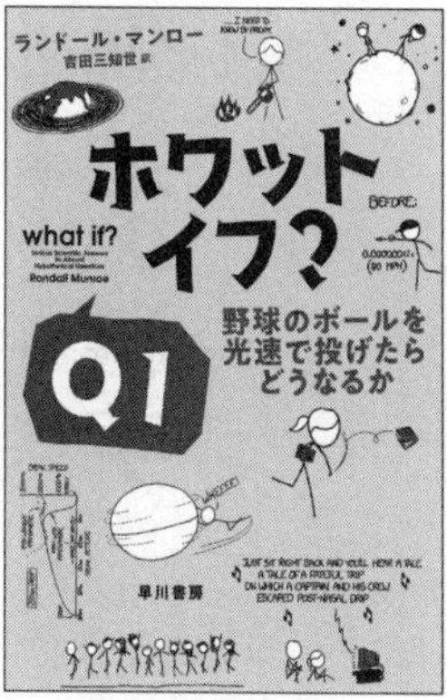

〈野球のボールを光速で投げたらどうなるか？〉を筆頭に、ありえないけどちょっと気になる、著者のＨＰに寄せられたトンデモ質問の数々。それらに、元ＮＡＳＡのロボット技術者という経歴をもつウェブコミック作家が、まじめな科学とちょっぴりブラックなユーモア、そしてイラストもたっぷりに回答します。　解説／稲垣理一郎

〈数理を愉しむ〉シリーズ

偶然の科学

Everything Is Obvious

ダンカン・ワッツ

青木 創訳

ハヤカワ文庫ＮＦ

世界は直感や常識が意味づけした偽りの物語に満ちている。ビジネスでも政治でもエンターテインメントでも、専門家の予測は当てにできず、歴史は教訓にならない。だが社会と経済の「偶然」のメカニズムを知れば、予測可能な未来が広がる。スモールワールド理論の提唱者がその仕組みに迫る複雑系社会学の決定版。

〈数理を愉しむ〉シリーズ

数学をつくった人びと Ⅰ・Ⅱ・Ⅲ

Men of Mathematics
E・T・ベル
田中勇・銀林浩訳
ハヤカワ文庫ＮＦ

天才数学者の人間像が短篇小説のように鮮烈に描かれる一方、彼らが生んだ重要な概念の数々が裏キャストのように登場、全巻を通じていろいろな角度から紹介される。数学史の古典として名高い、しかも型破りな伝記物語。

解説　Ⅰ巻・森毅、Ⅱ巻・吉田武、Ⅲ巻・秋山仁

遺伝子（上・下）

―親密なる人類史―

THE GENE

シッダールタ・ムカジー

仲野 徹監修・田中 文訳

ハヤカワ文庫NF

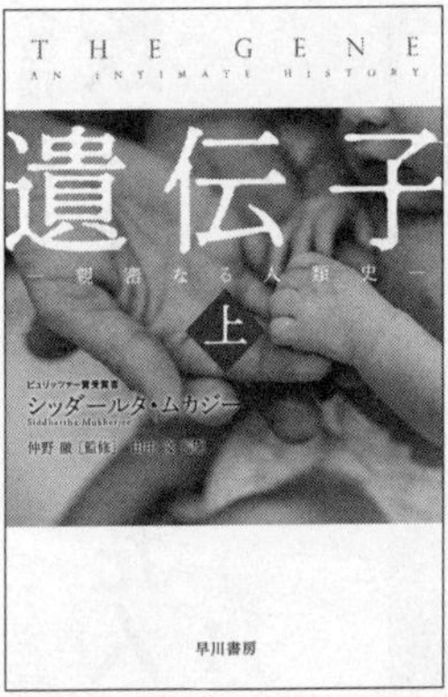

19世紀後半にメンデルが発見した遺伝の法則とダーウィンの進化論が出会い、遺伝学は歩み始めた。そして今、人類はゲノム編集の時代を迎えている。遺伝子が握る人類の運命とは？　ピュリッツァー賞受賞の医学者が自らの家系に潜む精神疾患の悲劇を織り交ぜながら、圧倒的なストーリーテリングでつむぐ遺伝子全史。

スプーンと元素周期表

The Disappearing Spoon

サム・キーン
松井信彦訳
ハヤカワ文庫ＮＦ

紅茶に溶ける金属スプーンがある？　ネオン管が光るのはなぜ？　戦闘機に最適な金属は？　万物を構成するたった一〇〇種余りの元素がもたらす不思議な自然現象。その謎解きに奔走する古今東西の科学者、科学技術の光と影など、元素周期表にまつわる人とモノの歴史を繙くポピュラー・サイエンス。　解説／左巻健男

樹木たちの知られざる生活
——森林管理官が聴いた森の声

Das geheime Leben der Bäume

ペーター・ヴォールレーベン

長谷川　圭訳

ハヤカワ文庫ＮＦ

樹木には驚くべき能力と社会性があった。子を教育し、会話し、ときに助け合う。一方で熾烈な縄張り争いを繰り広げる。音に反応し、数をかぞえ、長い時間をかけて移動さえする。ドイツで長年、森林管理をしてきた著者が、豊かな経験と科学的事実をもとに綴る、樹木への愛に満ちあふれた世界的ベストセラー！